OTTAVIO
DI SAINT-VINCENT

TOMMASO LANDOLFI

OTTAVIO
DI SAINT - VINCENT

preceduto da una ristampa di
LE DUE ZITTELLE

VALLECCHI EDITORE

PRINTED IN ITALY
FIRENZE, 1958 - VALLECCHI EDITORE OFFICINE GRAFICHE

LE DUE ZITTELLE

CAPITOLO PRIMO

In uno scorante quartiere d'una città essa medesima per tanti versi scorante, al primo piano d'una casa borghese vivevano due zittelle colla vecchia madre. E buon per il lettore ch'io non sento il dovere, che a quanto sembra altri sente imperioso, di descrivere minutamente simili luoghi! Ce ne sarebbe di che fare entrar le paturne al meglio disposto. Con che costrutto non so vedere; dunque cercherò di limitarmi qui ai cenni strettamente indispensabili, che sarà fin troppo.

Il quartiere era tutto risonante di nomi di patrie battaglie, come sarebbe Montebello, Castelfidardo e simili, le quali vie sboccavano in una piazza denominata appunto Indipendenza, o le correvano nei pressi. Pure, tanta gloria era lì fuori di posto, per non dire addirittura sconveniente, e ad ogni modo non riusciva a turbare in nulla la tranquilla, degna e un poco sonnolenta vita degli uomini e delle cose. A farla breve, lì lungo le strade, di rado percorse da vetture e di rado anche da passanti, alle case s'alternavano frequenti muri di giardini, sopravvanzati a tratti da un'avara e polverosa chioma d'albero, eucalitti chissà o altri eunuchi vegetali. Giacché poi quei giardini appartenevano ai numerosi monasteri del quartiere, i quali, per essere attaccati alle case e per altri motivi più profondi, estendevano in parte su queste e dentro queste il loro dominio e il loro sentore. Epperò, volendo dir tutto e in modo sbrigativo, nell'intero rione si respirava una vaga aria di grettezza e di reazione, in aperto contrasto colla nomenclatura stradale; e si sentiva un riserbo alquanto ipocrita nonché, più pertinentemente, un odor di moccoli e di panni sporchi. Non già che la degna compostezza degli abitanti ne soffrisse troppo, ma a un ignaro visitatore quella sarebbe pur sempre apparsa una regione di gente per lo più in mezzo lutto e sempre col naso sudato. E insomma gli sarebbe sembrato che su ogni cosa si fosse deposta un'impalpabile polverina grigia.

Anche la parlata della gente, una specie di dialetto indefinibilmente suburbano, era molle e un ché untuosa: i bischizzi dei bottegai si spingevano fino alla coprolania, ambito favorito delle persone in talare, ma non raggiungevano mai l'oscenità. Quanto alla cosiddetta vita moderna, arrivava lì in forme blande, estremamente familiari oltreché bacchettonesche. Il locale cinematografo, uno appunto di quelli che si dicono rionali, non aveva quasi mai bisogno d'apporre il cartello: « Vietato ai minori d'anni 16 ». Negli intervalli della proiezione la ragazzaglia e qualche giovinastro si prendevano sì lo spasso d'infastidire, da un capo all'altro della sala semivuota, uno spettatore isolato, naturalmente un vecchiotto calvo, rubesto e dalla voce stentorea; quando però questi, voltosi fra stupito ed offeso, li avesse rimbeccati, prendendo a testimoni le seggiole piegate in due: « Tutta la canagliola di via Calatafimi, guardate! », gli altri si limitavano a ribattere concilianti: « Ahò, 'sti bocci [1] se vonno mette co' noi! », e la cosa finiva qui.

Le due zittelle, che chiameremo Lilla e Nena (diminutivi frequenti fra persone della loro categoria), vivevano dunque a un primo piano, in un piccolo appartamento formato da un certo numero di anguste stanze che davano per metà sulla strada e per metà su una squallida corte, di quelle ove si pongono ad asciugare gli strofinacci, si battono i tappeti eccetera, e donde a tutte le ore sorge un tristissimo odor di risciacquature. Questa corte era però aperta da un lato, e precisamente confinava per una rete metallica con uno dei giardini monacali cui s'è più sopra accennato. Nel qual giardino era posta, riunita all'edificio principale solo per una parete, una piccola cappella simile a un padiglione, che era poi la chiesa del monastero. Due eucalitti appunto la ombreggiavano, biancastri e viscidi, né il giardino, chiuso per i rimanenti tre lati da alte mura, vantava altri alberi o altre vegetazioni. Malinconico giardino in verità, somigliante piuttosto al cortile d'un carcere; a determinate ore vi si pote-

---

[1] Vecchi.

vano vedere le monache dirigersi in silenziosa fila
alla cappella, o uscirne, o sostare immammolate per
un tempo.

Tale era ad ogni modo il paesaggio abituale
delle due zittelle, che per diversi motivi, come l'ubi-
cazione della cucina nell'appartamento e l'oscurità
delle stanze sulla strada, usavano per lo più trattenersi da questa parte della casa. La casa stessa, poi,
era addobbata con un certo medio e muffoso decoro,
come tante del genere: nel tinello suppellettili di
giunco e cuscini stampati a fuoco, nel salotto buono
(quasi sempre chiuso) divani e poltrone ricoperte di
velluto verde, e della medesima stoffa il tappeto
sulla tavola, con un passamano a fiorellini rosa. Giacché quelle donne erano quasi ricche, sebbene alquanto
tirchie: nate in un paesino all'estremo limite della
provincia, vi avevano terra al sole.

Lilla e Nena potevano avere un po' meno di ses-
sant'anni. La prima, magra e allampanata, la più
dolce di carattere e ignara, per non dire la più insi-
piente, soffriva di stomaco e un tanto di nervi, portava uno stringinaso d'oro assicurato all'orecchio da
una catenina dello stesso metallo, e s'aiutava inoltre
con un occhialetto che teneva appeso al collo, occhialetto di cui una lente s'era ormai da molti anni fen-
duta. La seconda soffriva di cuore, ma in complesso
si manteneva alquanto meglio della sorella, il che
si rifletteva sulla sua indole. Ambedue erano sempre
vestite di nero o comunque di scuro, con certi giub-
boncelli o tuniche senza vita, e le spalle coperte

da una breve pellegrina di lana viola o uno scialle di bigia; avevano i capelli, spesso in disordine e ritti verso la nuca e le tempie, tra bigi anch'essi e vagamente rossastri, dovuto ciò ad antichi tentativi di serbarli neri; e infine, com'è chiaro, sui loro visi, nei solchi fra le pinne del naso e le guance, e così pure in qualche ruga delle più profonde, stagnava perennemente un denso sudore, simile a sego.

La loro vita era stata ed era adesso, salvo quanto verremo dicendo, press'a poco quella che si può immaginare, e non occorre spenderci troppe parole. Il cerchio delle loro relazioni comprendeva sopratutto parenti lontani o lontanissimi (ché di prossimi non ne avevano più) e affini, le cui visite esse ricevevano ogni tanto, rendendole tuttavia di rado. Fra costoro converrà brevemente citare almeno un capufficio al Ministero dell'Agricoltura, dagli occhi assai sporgenti e dal fiato cattivo, ingiallito al suo tavolo malgrado certe letterarie velleità di giovinezza; uomo di grande veemenza esteriore e verbale, che affettava di dire (come spesso ripeteva) pane al pane e vino al vino, né esitava a definire il suo ufficio « lo scatarro più lercio della sputacchiera ministeriale », colla qual dubbia anfibologia intendeva certo gettare il discredito su tutto il suo dicastero.

Un contrammiraglio anche lui giallo, con metà della testa pelata o sgusciata e il naso lungo, privo per contro quasi al tutto di mento; il quale, quando parlava, da quel naso appunto, di fra i peli, lasciava cader le parole come caccole (che è il modo di

parlare detto da alcuni ragazzacci «a spengimoc-
colo», ipotiposi di cui all'occorrenza gli impudenti
fanno uso anche riguardo ad altra funzione poco
meno importante della favella). *Contrammiraglio*
dice al cuore di magnanime imprese, di liberi spazi
e di paesi lontani. Ma ahimé, questo non aveva
navigato che nella lontana gioventù, per diventar
guardiamarina, e il resto della carriera l'aveva fatto
anche lui al ministero; e adesso era un ufiziale timo-
rato di Dio che soltanto imponeva ai propri figli,
adolescenti spirlungoni, maglie turchine da marinaio
comunque battesse la stagione.

Una vecchia e mustacchiuta signorina, dal sor-
prendente nome di battesimo, che «sapeva il tede-
sco meglio dell'italiano», né era altrimenti identifi-
cabile. Dalla di costei squacquerata voce le zittelle
avevano dovuto per forza imparare alcune brevi
frasi in quella lingua, come: *Wie geht's Ihnen?; ja,
und?; ach, wo!*, e qualcun'altra meno corretta.

E altrettali persone. Alle quali si possono aggiungere, fuori dell'immediata cerchia dei parenti, qualche casigliano particolarmente rispettabile, ad esempio il senatore del secondo piano, un vecchio squar-
quoio già sottosegretario ai Lavori Pubblici, che però
in casa delle zittelle non aveva mai messo il piede,
contentandosi di riceverne un paio di volte all'anno
la visita; qualche conoscente occasionale; eppoi la
sarta, uno o due fornitori e, da ultimo, un discreto
numero di monache, frati, preti, diaconi e simigliante
compagnia, la quale veniva a scopi di questua, ma

anche talvolta semplicemente a trattenersi. Poiché non occorre certo dire che le due zittelle erano estremamente divote, sebbene ciascuna seguendo il proprio carattere.

Quando taluno di questi squallidi personaggi si presentava alla porta di casa, le due, tosto venute nel buio ingresso, lo accoglievano con cenni reiterati del capo e levar di braccia, quasi ogni volta non lo vedessero da dieci anni, e seguitavano poi per un tempo a fargli festa nel loro modo: Lilla, cioè, emettendo certi suoi confidenti grugniti, l'altra degli « oh » tremolanti. Si passava quindi nel tinello, o nel salotto buono a seconda dei casi (o più spesso ancora, come si vedrà, nella camera da letto della vecchia mamma), e quivi ognuno si sedeva colle mani sulle ginocchia, e quivi veniva servito il caffè, debitamente mescolato all'orzo dei poderi in provincia; e principiavano i discorsi, e i « ma come?! », gli « uh davvero? », i « Gesù mio! », talora i segni di croce, delle padrone di casa. Gli ospiti infatti avevano sempre qualcosa di scandaloso da raccontare, qualcosa che gente pia e dabbene non poteva ascoltare senza fremere e che comportava da parte del narratore, specie se era femmina, un « per dirti! » finale, stante press'a poco a significare: « vedi dunque a che siamo giunti e in che tempi calamitosi viviamo! ». Oppure il discorso verteva su dati e fatti di compaesani, dei cui minimi movimenti e propositi, come in generale di tutto quanto avveniva laggiù al paese, le zittelle riuscivano a esser sempre informate, per così dire, meglio e prima degli interessati. E qui, se il visitatore era di famiglia e si faceva l'ora della merenda, compariva la specialità detta « uovo grazioso », originaria senza dubbio di qualche educandato d'Orsoline; ossia una frittata con una o più grandi fette di pane in mezzo, tanto che l'uovo si riduceva a un sottil velo su questo pane, e uno forse ne bastava per far due « uova graziose ».

Ma certo il lettore s'è ormai fatta la sua idea e volentieri mi dispensa dall'aggiungere altri tocchi a questo quadro fedele.

CAPITOLO SECONDO

Le due zittelle, s'è detto, vivevano colla vecchia madre; e con un'annosetta fantesca, si può qui seguitare, che aveva in tutto sposata la loro causa e s'era, come senza accorgersene, modellata a loro immagine. Va da sé che costei, pur senza la menoma protervia e mai o quasi a suo profitto, spadroneggiava nella casa, e il suo parere era in ogni occorrenza grandemente prezzato. Quanto alla madre, la decrepita nonché vecchia signora Marietta, era un notevole esemplare della sua specie (sebbene al postutto non così raro come potrebbe parere), epperò di lei si voglion qui dire due parole in particolare.

Essa era, naturalmente, malata; ma di quale malattia, non ci fu barba di medico capace di determinare. Nervosa ed autoritaria lo era sempre stata; verso però il suo settanta o settantacinquesimo anno le manifestazioni di tale sua indole s'erano andate facendo sempre più allarmanti, fino a mutarsi in veri e propri sintomi, di varia imponenza. Un bel giorno la vecchia cominciò ad accusare dolori vaghi in parecchi e imprecisabili punti del corpo, e in capo a un anno già rispondeva ai visitatori che s'infor-

mavano della sua salute: « Come state, donna Marietta? » colla laconica solfa che le zittelle ebbero
poi negli orecchi per una decina d'anni e oltre:
« Dolori forti ». In capo a due o tre aveva ormai
adottata l'altra più distesa solfa, che non aveva bisogno d'essere elicitata ed esplodeva improvvisa nel
silenzio o nel bel mezzo di ragionamenti d'assai
diverso tenore: « Che dolori che dolori! Ah, ah, non
ci'â [1] faccio più! ».

Quella frase era invero da lei pronunciata sempre sullo stesso tono, stranamente musicale: le prime
quattro parole suonavano alte come rabbiosa squilla,
le seguenti s'andavano a grado a grado acquetando
in una sorta di trionfale sconsolatezza. Insomma alla
vecchia non dispiaceva forse il suo male, in quanto
le permetteva di continuar a esercitare il suo potere
sulle figlie e nella casa; è anzi da sospettare che
ella, sentendo sfuggirle le forze, si fosse a bella posta
appigliata all'unico mezzo che le restava per tenere
in soggezione la gente attorno, si fosse, dico, a
bella posta ammalata. Giacché nessuna tara organica
le fu mai potuta scoprire, e i suoi dolori, che nessun calmante riusciva a mitigare, seguitarono sempre a essere insituabili e inafferrabili. Eppure quella
malattia, naturale o volontaria che fosse, la tirava
a poco a poco alla tomba, né contro di ciò valeva
l'appetito che non le venne meno fino all'ultimo
giorno. Ella dové dapprima passare la maggior parte

---

[1] Ce la.

della giornata sulla poltrona, fino a non più lasciare, poi, il letto: dove fu colpita, verso gli ultimi anni, da un irrigidimento delle gambe e di quasi tutto il corpo, restandole nondimeno l'uso delle braccia, o piuttosto degli avambracci. Allora non parlò più, ma si fece lo stesso egregiamente capire.

Le manifestazioni esteriori della malattia, visto che la natura ne rimase a tutti nascosta, consistevano prevalentemente in smanie di vario genere e diversa intensità; che però senza fallo aumentavano a dismisura se soltanto le zittelle s'allontanassero dal capezzale della malata, o anzi appena avessero l'intenzione di farlo. Poiché la vecchia era per tale riguardo dotata d'una sensibilità più che animalesca e leggeva fin nel pensiero delle sue vittime. Onde bastava ad esempio che Lilla (la quale, più delicatuccia, avrebbe spesso abbisognato d'aria pura) si stesse preparando, in una stanza quant'era possibile remota, a uscirsene alla chetichella una mezz'ora, perché lei prendesse a berciare, finché poté, o altrimenti a percuotersi i fianchi, a darsi pugni in testa, insomma a fare il diavolo a quattro. Intemperanze cui del resto era sufficiente un assai minore incentivo, verbigrazia che una delle zittelle andasse « a Parigi »; altra espressione, quest'ultima, da educandato, come ognun vede. In generale la vecchia, dando con ciò una nuova prova della sua sagacia, qualunque cosa non le andasse a sangue volgeva la propria mano contro se stessa; e le zittelle e la serva si precipitavano a trattenerla e s'affrettavano a rimuovere la causa della sua agitazione. Col passare, poi, degli anni, il divieto d'uscir di casa e comunque d'allontanarsi, sulle prime limitato alle due zittelle, si estese a detta serva e finalmente agli animali domestici, di cui verrò dicendo in seguito.

Non è a supporsi che donna Marietta volesse sempre gente attorno perché veramente bisognevole di soccorso: infatti, anche quando dormiva placida, se qualcuno lasciava la stanza, si svegliava di soprassalto e principiava la solita pantomima. D'altronde, raccolti che avesse tutti gli abitatori della casa attorno a sé come una chioccia spennacchiata i propri pulcini, si limitava a intonare il già noto: « Che dolori che dolori! Ah, ah, non ci'â faccio più! » o a fissarli in silenzio, ché di preciso da chiedere non aveva quasi mai nulla. Ma, come si disse, era quella l'unica volontà, povera vecchia, che le fosse rimasta da imporre: la sua stessa presenza, intendo. Dire fra l'altro che due soli di quei pulcini mettevano insieme poco manca a due secoli! Tant'è, le mamme non c'è caso si risolvano a considerare cresciuta la propria prole.

Quale vita questa vecchia di carattere facesse alle due, anzi alle tre, donne, è facile immaginare. Dominate, come lo erano sempre state, dalla sua volontà, sgomente di sentirsi scoperte fin nei loro menomi divisamenti, le zittelle si ripiegarono, se non su se stesse, almeno nel loro buco, rinunziarono a muoversi salvo i casi di ultima necessità, e generalmente parlando a ogni loro moto personale.

A parte i suoi lagni, donna Marietta andò aggravando con estrema lentezza: sulla poltrona rimase tre o quattro anni, e qui ancora, sebbene di rado, parlava talvolta del più e del meno e persino rideva, traballando silenziosamente il pancione, che era l'unico indizio della sua allegria. Allettatasi, non si occupò ormai che della propria malattia e della propria idea fissa. Ma trascorsero ancora due o tre anni prima che sopravvenisse l'irrigidimento più su ricordato. Dal quale, come dall'impedimento di favella che lo accompagnò, la sua forte fibra non fu del resto prostrata che in capo ad altri due o tre anni.

Gli ultimi tempi s'era ridotta un ceppo, con tutto della morte fuorché il colore e l'inappetenza. Eppure, rugosa come un vecchio ceppo appunto e quasi altrettanto inerte, cogli occhi semispenti e fissi, ella conservava tuttavia il suo abituale e più proprio modo d'espressione: il percuotersi. Liberi da parlasia aveva soltanto gli avambracci, si disse; epperò poteva soltanto picchiarsi il petto all'altezza circa delle scapole, e tale picchiamento rendeva un suono sordo e lugubre, piuttosto simile a quello d'un affricano timballo che all'altro della famigerata e gaia grancassa: *toc toc*. Questo *toc toc* poi (due picchi erano giusto la regola), venne a significare una semplice negazione, quasi però a toglier subito al dimandante qualsiasi velleità d'insistere. Ad esempio: « Donna Marietta (o: mammà) lo volete il brodo? » Risposta: « *toc toc* ». « Allora vi porto il latte » —

« *toc toc* » — « Eppure qualcosa dovete prendere » — qui i picchi rinforzavano e l'interlocutrice, per chiamarla così, fermava il braccio della vecchia. Poi: « Ma se vi ci metto un po' di pasta, nel brodo?... » — immobilità assoluta, segno d'assenso. Infatti fino alla fine, sebbene avesse anche il capo rigido, la vecchia continuò, nonché a mangiare, a masticare.

Come le stavano sempre attorno e lei rispondeva quasi sempre di no, quel *toc toc* era diventato la vera voce della casa. Pure un giorno si spense; giacché, infine, anche una tal madre viene a morte. Quando una volta, levatasi Lilla per uscir dalla stanza, nessun *toc toc* sorse a rattenerla, fu ben chiaro che la vecchia era morta. La sua testa non era ormai che un teschio. Un teschio, particolare che seppure in ritardo torna qui in acconcio, baffuto e barbuto oltre ogni comune immaginazione e del tutto virilmente, com'era sempre stato il capo di donna Marietta.

Su questo teschio, impazzita per la presenza del cadavere e calata a furia di sull'armadio, venne un momento a chinare il proprio viso difforme, con mugolii strazianti, la scimia. Che, annunciata peraltro, entra qui la prima volta in scena quantunque sia il vero protagonista, anzi l'eroe di questo racconto. Per donna Marietta, non vi ha in sostanza alcuna parte, avendo come sembra rinunziato a quella di fantasma, che spesso e volentieri adottano siffatti personaggi dopo la morte. Su lei mi diffusi per mero amor di completezza; e il medesimo scrupolo vuole ora che, prima di seguitare e d'entrar nel vivo della narrazione, faccia brevemente cenno d'un uccelletto abitatore anch'esso della casa.

Era, neanche a dirlo, un «uccello cardinale», così chiamato da una sorta di cresta o cappuccio d'un rosso fradicio e mortuario. Grande come una castrica, o averla che s'abbia a dire, e forse un poco più, era un carattere tranquillo e rassegnato; di solito viveva in una gabbietta posta sul balcone dal lato della corte, finché la vecchia non cominciò a volerlo in camera sua, dove l'infelice pennuto languiva miseramente (in quella camera non si cambiava mai l'aria). Le zittelle lo avevano assai caro e lo nutrivano in prevalenza a pandispagna inzuppato. Ma ad altri era riservata la piena del loro affetto; epperò s'abbandoni ormai anche questo uccello alla sua oscurità.

CAPITOLO TERZO

Era la scimia un animale piuttosto piccolo e vivace, forse un cercopiteco; ma a presentarla partitamente ed in sé sarà bene rinunziare fin d'ora, con sollievo scommetto di chi legge. E invero tutte le qualità che un accorto novellatore di razza umana, esperto quanto si voglia di caratteri, può rilevare in un animale o attribuirgli, non sono al postutto che mere supposizioni, cui solo il nostro smodato antropomorfismo presta verosimiglianza. Fra noi: in che modo penetrare d'un bruto i pensieri, il vero significato dei suoi gesti, anche ad adottare l'accezione umana di tali termini? Un uomo di fronte a un altro uomo ha almeno una convenzione, se non altro di linguaggio, alla cui stregua commisurarne gli attributi; ma riportare questa convenzione sugli animali sarebbe a dir poco arbitrario. Rispetto a che cosa, infine, ad esempio una scimia sarebbe buona o cattiva? Tanto vale dunque agnosticamente confessare dal bel principio di non capirci nulla, e chiudere l'imbarazzante parentesi. Quella scimia insomma era una scimia, con tutti gli attributi esteriori e le qualità apparenti della sua razza; era una creatura misteriosa. Diciamo piuttosto, perché la sua presenza nella casa delle due zittelle non appaia straordinaria, che esse avevano avuto molti anni addietro un fratello, il quale aveva presto abbandonato la casa e s'era fatto capitano di mare (forse giusto coll'aiuto dell'ora contrammiraglio più su comparso). Era questo fratello appunto che, di ritorno da uno dei suoi viaggi, aveva portata al paese la scimietta, appena strappata al seno della madre. Egli morì poi in terra straniera, e le sorelle, che su di lui avevano a poco a poco concentrato tutto l'affetto di che erano capaci — non poco certo — e a lui soltanto votati i palpiti del loro cuore femminile, questo affetto riversarono sull'animale. Esso ormai doveva loro essere doppiamente e triplicemente caro.

È costume degli uomini tenere se possibile in gabbia l'oggetto del proprio amore. E una grossa gabbia era la dimora abituale della scimia; a quest'ultima poi per maggior sicurezza era stato passato una sorta di pettorale chiuso sul dorso, donde si dipartiva una catenella fissata nell'interno della gabbia all'altro capo, che le lasciava gioco per tutta l'ampiezza della gabbia medesima. La bestia infatti aveva sempre mostrato grande irrequietezza; né, debitamente castrata e coi denti segati, sembrava perciò aver perso alcunché della sua natural turbolenza. Strideva spesso o squittiva come un bambino, senza plausibile ragione, si lamentava, si infuriava per un nonnulla, faceva l'atto di saltare

al viso degli estranei, talvolta persino delle padrone,
e i suoi occhi straordinariamente mobili s'accende-
vano allora di spaventoso odio. « Ma in fondo è
tanto buona (anzi: *bona*)! » dicevano le zittelle.
E invero sovente le bastava, come « intrattieni », una
noce, che essa rompeva tra i molari e si poneva a
scernere e a mangiare con attenzione esagerata.. In
generale, lasciata libera, si comportava assai più
ragionevolmente, che non è meraviglia; le zittelle
avevano pertanto preso l'abitudine di darle talvolta
la via, s'intende in una stanza chiusa. Essa allora
poteva arrampicarsi sui mobili, il che eseguiva con
estrema delicatezza e senza romper mai nulla, darsi
da fare a suo grado; e smetteva gli inconsulti frig-
gibuchi. Non è però che, anche in queste condizioni, cessasse dal manifestare, con tutto un poco
il suo contegno, una certa prepotenza. In definitiva
essa era, sebbene eunuco, il maschio di casa, viziato
inoltre, ad onta del suo lamentevole genere di vita.
Quando era libera e, dopo essersi sfrenata a sua
posta, i suoi occhietti cominciavano infantilmente
a chiudersi, veniva a rifugiarsi in grembo a una
delle due donne, di solito a Lilla; o meglio, se
costei era a giacere, ad applicarsi sul suo petto,
che abbrancava con tutte e quattro le estremità in
atteggiamento di possesso. Queste qualità virili la
scimia venne, è vero, sviluppando soprattutto dopo
la morte di donna Marietta: la mustacchiuta e bar-
buta vecchia le incuteva infatti una soggezione perplessa e forse invida, che rasentava il terrore. Ma

con ciò mi avvedo d'esser caduto nel vizio più su deprecato, di attribuire a un bruto attitudini e sentimenti umani, per cui fo punto.

Libere non già, dall'incubo che la nominata madre aveva loro creato, ma almeno alleggerite della sua presenza, le zittelle dunque cominciavano forse a godere d'una certa tranquillità, quando scoppiò improvvisa la folgore. Ci si richiami al pensiero tutto quanto son venuto fin qui con fatica dicendo e se ne giudichi.

Una bella mattina si presentò alla porta di casa, con aria circospetta e misteriosa, la superiora del prossimo e quasi attiguo monastero (anzi mon*i*stero, dicevano le zittelle) che le due già conoscevano un poco per averle talvolta largito ai poveri *quod supererat*. Introdotta nel salotto verde, essa esordì dicendo che conosceva per esperienza la loro inconquassabile fede e timoratezza ed esemplar modestia di vita, le quali a lei rendevano di tanto più penosa la comunicazione che stava per fare; ma infine, seguitò dopo altri preamboli, non poteva ormai tacere quanto al monastero capitava per opera d'un animale di loro proprietà. Qui naturalmente le zittelle caddero dalle nuvole e vivamente sollecitarono l'altra a spiegarsi; il che quella fece da ultimo.

In breve, la monaca accusava la scimia di esser penetrata, furtivamente e di nottetempo, nella loro cappella là sotto gli eucalitti e di avervi sottratto o mangiato un certo numero di ostie consacrate, nonché di avervi bevuto del, se non consacrato, tut-

tavia sacro vino; furto sacrilego, o sacrilega inge-
stione, che non era a sua detta cosa d'una volta,
ma si ripeteva ormai da tempo, e per la più corta
s'era ripetuto la sera innanzi; di cui infine l'autore
non era purtroppo dubbio, senza di che essa non si
sarebbe attentata eccetera.

Tralasciando ora gli « oh », « uh », « ohi » e
« ahi » delle zittelle, cui la straordinaria faccenda
doveva dar la stura, cercherò di serbarmi quanto è
possibile fedele alla nuda cronaca degli avveni-
menti.

Nena fu la prima delle due a riprender possesso di sé; mentre l'altra si profondeva ancora in
scuse e, con involontaria empietà, in offerte di risar-
cimento, ella invitò la monaca a fornire qualche
spiegazione e a giustificare il suo sospetto. Non
sospetto, replicò quella appena un poco punta, sibbene assoluta certezza: alcune monache infatti, col-
pite dalle inspiegabili sottrazioni dei sacri comme-
stibili, avevano vegliato, spiato, fatto la posta, e
finalmente, la notte innanzi, avevano scorto una piccola ombra che.... D'altronde la scimia era stata
spesso veduta in quella stagione, nella sua gabbia è
vero, sul balcone prospiciente il giardino della comunità o accanto alla finestra della cucina, nel medesimo modo orientata; e pareva seguire con interesse
i movimenti delle monache, e....

— Eh, madre mia, quante cose avete osservate!
— interruppe Nena. — Ma guardatevi —, aggiunse
sorridendo, — dai sospetti temerari. Il nostro Tombo

(che, in origine Tomboo, era il nome della scimia), il nostro Tombo è un birichino, sì, ma non è capace d'una cosa simile. Eppoi, favorite di qua.

E menò la superiora dritto in cucina. Si sforzava di mantenersi calma, ma era in realtà profondamente turbata ed offesa, quasi ne andasse del suo onore se la scimia si fosse resa colpevole d'un tal fatto. Questa, chiusa e impastoiata nella sua prigione, si stava spulciando a uno scialbo solicello che penetrava di scancio dalla finestra aperta; scorgendo l'estranea, fece come al solito l'atto di saltarle addosso, ma si calmò subito e si mise a osservare con estrema attenzione quel personaggio nero sormontato dal suo mirabolante copricapo.

— Ecco qua, madre, — seguitò Nena additando la gabbia — noi certo non l'abbiamo fatto uscire, e lui come avrebbe fatto a liberarsi da sé, dimando e dico? Guardate un poco se una bestiolina così potrebbe rompere questa catena e sfondare questa porta! Ma poi l'avremmo dovuta appunto trovar rotta, la catena, no? E la porta, non è chiusa dal di fuori? Tutto è a posto.... No, no, madre, qui certo c'è un errore.

— Eppure!... — badava a dir la superiora.

In quella una fila di monacelle prese ad attraversare il sottoposto giardino del monastero, dirigendosi lentamente alla cappella luogo del preteso delitto. La scimia che, stanca d'esaminare la superiora, s'era volta verso l'esterno, manifestò al vederle il più vivo interesse; inclinava il capo da una parte, s'abbrancava alle sbarre, saltava a pié pari battendosi le ginocchia, corrugava la fronte; e altri attucci bruschi e grotteschi. Pareva grandemente divertita.

— Ecco ecco, vedete? — disse la superiora.

— Ma che c'entra, questo lo fa sempre — precisò imprudentemente Lilla.

— Eh già, lo dicevo io...! — fece vagamente quella.

Le monache erano passate.

— No, no, — ripeté Nena perentoriamente a mo' di conclusione, — senza dubbio vi siete sbagliate.

Il discorso d'altronde non poteva, in questi termini, procedere. La superiora, vista la resistenza dell'altra, cambiò alquanto tono e prese un'aria di untuosa commiserazione, quasi compiangesse sinceramente le zittelle d'avere in casa un tal discolo; raccomandò ad ogni modo di sorvegliare l'animale, perché sarebbe davvero stato increscioso che nella casa del Signore eccetera, e le due promisero volentieri. Ella, non senza aver accettato alcunché pei poveri del quartiere, si ritirò alquanto perplessa: fra l'altro capiva solo fino a un certo punto l'ostinazione di Nena nel voler mondare da ogni taccia la propria scimia.

Uscita che fu la monaca, Nena mutò d'un tratto contegno e la sua sicurezza divenne una specie d'agitato sgomento, in preda al quale ella andava passeggiando per le stanze e torcendosi le mani, nel mentre ripeteva: «Ma è possibile una cosa simile?

Eppure come avrebbe fatto? » e altrettali frasi. Lilla, che la di lei attitudine aveva un poco tratta dalla sua stupida costernazione del primo momento, vi ricadde ora; ed ambedue e la serva, tosto chiamata in causa, impresero un affannato cicaleccio sull'inconcepibile faccenda. Nena in sostanza non credeva forse troppo alla possibilità d'una simile gesta da parte della scimia, ma era comunque, secondo già dicemmo, profondamente avvilita che soltanto si potesse sospettare il loro Tombo. Le altre avevano ciascuna la sua idea. Le discussioni, le congetture, i consigli dati e ricevuti, montandosi il capo, calmandosi, convincendosi le tre reciprocamente, durarono tutto quel giorno e anche il giorno dipoi, senza contare una buona parte della prima e della seconda notte. Della cosa fu anche informato, ma sotto suggello di segreto, taluno degli occasionali visitatori, che certo trovò da dir la sua.

Furono quelli due brutti giorni per le zittelle; ma altri peggiori le attendevano. Infine si risolse di mettere provvisoriamente la faccenda in noncale; e la scimia, ritirata dapprima a buon conto in camera da letto, venne riportata al suo posto in cucina poiché putiva la notte, e d'altra parte, calmatisi alquanto gli animi, la sua insospettabilità era stata come dire riconosciuta. Non però che le zittelle non rimanessero da tutto ciò col cuore sospeso. E infatti la mattina del terzo giorno, quando appena il vespaio accennava ad acquetarsi, venne da parte della superiora una monaca spaurita a dire brevemente che la sottrazione dei sacri generi s'era ripetuta quella notte medesima e che la scimia era stata quasi presa sul fatto; e subito si ritirò.

Ometto, anche qui, di descrivere la reazione delle donne a un tale annuncio. Fu deciso di spiare la scimia a cominciare dalla sera stessa. Le ragioni di questo procedimento, voluto sopratutto da Nena, non appariranno forse chiare a ciascuno: perché, si potrà dire, le zittelle non si limitarono a inchiavare d'ora innanzi l'animale in una stanza, almeno per tutta la durata della notte? La risposta precisa non sarebbe né forse facile, né troppo semplice, e ne fo grazia al lettore. Limitandomi a rilevar qui che a Nena c'è caso non tanto stesse a cuore tener a freno materialmente la scimia, quanto farsi un'idea adeguata della sua moralità.

— Tu sai, — diss'ella cupamente alla sorella, un momento che si trovarono sole la sera, — tu sai se voglio bene a Tombo; ma se davvero dovesse aver fatta una cosa simile, colle mie mani vorrei piuttosto metterlo nella sua cassettina da morto!

CAPITOLO QUARTO

Passarono due o tre notti prima che le donne, le quali vegliavano a turno, potessero sorprendere la scimia se non altro in flagrante infrazione alle regole della casa; anzi, per dirlo subito, in flagrante delitto di nottambulismo e obliquità. Esse avevano stabilito che per tutta la durata della notte almeno una di loro restasse sveglia, e prendesse silenziosamente posto, all'ora abituale del riposo, su una poltrona situata in una stanza da letto che dava nel breve corridoio di fronte alla cucina; attraverso le due porte, lasciate socchiuse, la scolta poteva giusto sorvegliare la gabbia dell'animale, sufficientemente illuminata dalla candelina elettrica dì e notte accesa, nella cucina, davanti a un'immagine della Madonna. Essa scolta doveva naturalmente badare a non far rumori sospetti, sicché la scimia potesse credere le abitatrici della casa abbandonate come sempre al sonno, e in generale non percepisse nulla di irregolare nelle loro abitudini; e doveva dar l'allarme al menomo caso degno di nota.

Le prime notti, dunque, la bestia dormì placidamente sul suo giaciglio di cencilani in un angolo della gabbia, solo svegliandosi ogni ora o due per grattarsi furiosamente o bofonchiare, come sembrava, alcunché. Una volta o due si levò anche e si diede alquanto dattorno per un quarto d'ora, quasi volesse sgranchirsi gambe e braccia, irrequietezza che restò tuttavia senza conseguenza. Finalmente, la quarta forse notte, Nena stessa era di guardia; ella s'era andata sempre più confermando nell'idea che il suo Tombo fosse innocente e superiore a ogni sospetto, e ora quasi sonnecchiava. Quand'ecco vide confusamente l'animale, che s'era levato appunto e grattato e mosso in su e in giù per la gabbia, scuoterne con silenziosa violenza le sbarre dal lato dell'usciolino; ciò le fece passare il sonno e aguzzar gli occhi.

Tombo si ritrasse, ma per abbandonarsi a una serie di frenetici squassamenti e contorcimenti, simili a quelli del cane quando si scuote l'acqua di dosso e insieme del gatto quando voglia liberarsi da qualche impaccio, che non si capiva bene a che cosa menassero; e anche questi silenziosissimi. Da ultimo, prima che Nena potesse rendersi conto di quanto avveniva, la bestia apparve libera del suo pettorale epperò della catena. Essa aveva dunque trovata la maniera! giacché non era certo la prima volta, e quell'operazione pareva esserle familiare. La zittella col fiato sospeso seguiva i suoi movimenti.

Tombo si riaccostò adesso alla porta della gabbia e di nuovo la scosse con una tal cauta furia; visto che non cedeva, cambiò tattica. Occorre dire

che tutt'intorno a questa porta correva una larga lista
di bandone, messa lì apposta perché il prigioniero
non potesse al caso, passando la mano fra sbarra
e sbarra, aprirla dal di fuori. Il fabbricante però
della gabbia aveva fatto i conti solo approssima-
tivamente colla naturale intelligenza dell'animale
che essa doveva ospitare. La scimia infatti, abbrancandosi alle sbarre che detta lista fiancheggiavano
e sormontavano, s'arrampicò fino a superare l'osta-
colo, e di lassù sporse un braccio, il quale si rivelò
spropositatamente lungo, verso il nottolino che chiudeva all'esterno la porta. Ma neanche in tal modo
riuscì a raggiungerlo. Poteva invero sembrare non
avesse finora fatto che spostare la difficoltà, eppure
ci aveva le sue ragioni: s'era, in altri termini, a suo
tempo convinta che il nottolino si manovrava meglio
dall'alto che di lato. Ridiscesa, si diresse ormai con
decisione a una specie di pendulo trapezio ch'era lì
dentro per i suoi giuochi, e ne scastrò abilmente
la sbarra trasversale, del resto già allentata (questa
operazione, come una simile alla seguente, doveva
aver veduta fare in qualche circostanza). Munita
poi d'un tale arnese, tornò al suo posto sull'uscio
e, di nuovo sporgendo il braccio, la cui lunghezza
era stavolta aumentata da quella del legno, dopo
alquanto armeggiare giunse finalmente a smuovere
e a far ricadere il nottolino: la gabbia era aperta.

Nena voleva a questo punto dar l'allarme, ma
non avrebbe potuto farlo senza eccitare i sospetti
della scimia. La quale d'altronde non sembrava affret-

tarsi a profittare della conquistata libertà, quasi avesse fatto tutto ciò per gioco o per provare la propria destrezza; sicché la zittella ricominciava a sperare.

Tombo si trovava adesso in un angolo della gabbia verso il suo giaciglio, dove s'era dato a girare su se stesso con leggero bofonchiamento o stronfio e piegando un poco le gambe, come volesse trovare la posizione più comoda da giacere — e come talvolta fanno anche i cani. Si fermò e poi rimase alquanto tempo immobile, semiseduto e colle mani puntate a terra. Da ultimo si levò sui piedi e si stiracchiò, dopo di che sbadigliò largamente grattandosi la pancia; emise anche una sorta di squittio appena udibile. Nena non perdeva uno solo di questi gesti e suoni. Infine l'animale parve decidersi a qualcosa, e tutto il suo corpo espresse quella volontà. Si volgeva a dritta e a manca nel solito modo brusco, gli occhi sfavillavano. Rimase ancora un attimo immobile, come in ascolto, quindi avanzò balzelloni verso la porta. Ma incappò in una specie di bicchiere di stagno che era lì per l'acqua; e si fermò allora, volubilmente, a toglierlo di mezzo, o piuttosto a infantilmente picchiarlo, quasi a punire la sua protervia. Seguì di nuovo un tempo di assoluta immobilità, fosse distrazione o timore che il leggero fracasso avesse destato qualcuno. Cui tenne dietro una nuova risoluzione; e stavolta Tombo spinse la porta della gabbia.

La gabbia era posata su un grande tavolo grezzo.

Abbrancandosi a uno dei suoi piedi, la scimia scese sul pavimento, che percorse due o tre volte in qua e in là, parendo non ben sicura della direzione da prendere. A Nena, a parte la sua angoscia, faceva senso vederla lì in terra, lei destinata a viver per aria; ma non era solo questo. In verità la bestia, che come di ragione procedeva aiutandosi colle mani, aveva qualcosa d'innominabile e di schifoso, in quella luce fosca e notturna; qualcosa della bupreste o del cerambice quando, minacciati, si staccano dal suolo contro cui stavano appiattiti e, levandosi alti sulle zampe, corrono rapidi e furtivi. O più semplicemente pareva un mostruoso ragno. Ora, da ultimo, essa prese definitivamente il suo partito: risalita per la medesima via sul tavolo, prossimo alla finestra, afferrandosi prima alle sbarre della gabbia, poi alla maniglia di essa finestra, aperta, si portò sul davanzale (perché avesse preferito questo giro a un più spicciativo balzo sarebbe difficile dire). Le persiane erano accostate, ma non tanto da non lasciar passaggio, fra il davanzale stesso e i battenti, a quell'esiguo corpo. Scrutata un attimo l'esterna oscurità e tenendosi con una mano a una stecca, la scimia si calò nel vuoto, ritirò poi la mano, che doveva aver trovata altra presa, e scomparve così agli occhi della zittella. Costei, precipitatasi silenziosamente alla finestra d'una camera attigua alla cucina, arrivò a vederla che balzava a terra dall'estremità d'un tubo di gronda, il quale passava appunto a due spanne dalle persiane dell'altra finestra. Poté anzi, aiutata da una vaga luminosità dell'aria, seguirla nelle sue successive evoluzioni, rapide e tuttavia circospette; che la condussero in pochi istanti, oltre la rete metallica, nel giardino del monastero. Ma qui l'animale fu avvolto dall'ombra dei due eucalitti, e Nena dové perderlo di vista. Le parve nondimeno che esso si fosse arrampicato su uno di quegli alberi; non aveva in ogni caso presa la via della cappella. Nena si ritirò, nello stato che si può immaginare, e dette finalmente l'allarme.

Badando a non far chiasso e a non accender luci dalla parte del cortile, le tre donne si ritrovarono accanto alla finestra donde Nena aveva guardato allontanarsi la scimia. La prima spontanea idea, infatti, di tutte e tre era stata di non dar sospetto neppur ora all'animale, onde poter assistere al suo ritorno. Idea solo in parte suggerita dalla curiosità, e sopratutto dall'ansia di veder più chiaro nel comportamento di Tombo, quasi insomma questo dovesse, se ignaro di essere stato scoperto, fornire indizi precisi sulle sue notturne attività. Non occorre invero soggiungere che la sua scappata non era ancor prova, per le zittelle, dei suoi criminosi maneggi nella chiesetta. O piuttosto non lo era per Lilla e Apollonia, o « Bellonia » (la serva); quanto a Nena, era in uno stato di tale profondo sconvolgimento, da non poter quasi ragionare, nonché procedere a deduzioni. A lei, difatto, il trascorso della scimia appariva già di per se stesso una cosa enorme, laddove le altre sembravano disposte a considerarlo con

una certa indulgenza, se almeno non dovesse aver seguito. Ella si sentiva tradita, vilipesa, e andava ora in
su e in giù per la stanza come smemorata, non poten-
do dir altro che: « Questo non me lo doveva fare! ».

Lilla e Bellonia, discinte, così com'erano bal-
zate dal letto o quasi, sorvegliavano intanto il giardino e la corte, sommessamente scambiandosi le
proprie impressioni; dalla finestra veniva nella
camera appena un tenue chiaro, che non bastava a
distinguere gli oggetti. Dopo un poco, il contegno
di Nena cominciò a preoccupare le due e, la fante
dato di gomito alla padrona, questa mosse verso la
sorella e per un tratto le tenne dietro nei suoi con-
citati andirivieni, senza saper che dire. Voleva con-
solarla, ma non sapeva bene di che cosa la dovesse
consolare, perché non intendeva il suo dolore. Infine
prese a dire che forse Tombo non era affatto andato
alla cappella, che forse aveva soltanto voluto uscire
un po'.

— Ma questo che c'entra? — replicò l'altra seve-
ramente, senza fermarsi.

Lilla, intimidita, dette in una serie di mugolii, o
grugniti, e di parolette imprecise come « dico »,
« vero », « hai capito » e simili, il cui senso generale
era che non conveniva poi prendersela tanto a cuore,
perché da ultimo gli animali, si capisce, sono animali.

E qui Nena si fermò in tronco e ripeté a se
stessa: « animali! », quasi ci pensasse solo ora, che
Tombo era un animale.

Passò più d'un'ora. Infine Bellonia annunciò in un rapido sussurro che la scimia era di ritorno. Questa infatti, sbucata dall'ombra d'un eucalitto, ma in un punto discosto dalla cappella, se ne veniva balzelloni, senza troppa fretta, verso la rete divisoria. Le donne però abbandonarono precipitosamente la finestra e si posero di scolta al solito posto. E di qui assisterono a una scena inversa a quella più su descritta. Rientrato per la stessa via, e dopo aver alquanto tempo oziato sui mobili, l'animale si chiuse nella gabbia tirandosi dietro l'uscio, di cui ebbe cura di rialzare il nottolino, manovrando stavolta di lato. Quindi, a forza di pietosi e faticosi contorcimenti, giunse a rinfilarsi il pettorale; e restò così, seduto con un'aria intontita. Tale suo modo di comportarsi, il rimetter tutto in sesto, provava ormai in modo definitivo che quelle scappate erano abituali, e che esso non pensava affatto di cessarne.

Tombo passò presto da quella sorta di sbigottimento a una curiosa agitazione. Faceva di grandi sgambetti, e ogni tanto percorreva, a prodigiosa velocità, tre o quattro volte la gabbia dall'alto in basso e da destra a sinistra, secondo, diremo, un'orbita vagamente circolare; simile in verità più a un conigliolo impazzato che a una scimia. Nondimeno quando Bellonia entrò in cucina per faccende (ché nel frattempo s'era fatta l'alba e la buona fante non pensava ormai più al letto), si buttò di schianto sul suo giaciglio e finse di dormire. Nessuno pel momento gli disse nulla, e questo per ordine di Nena, la quale annunciò confusamente che voleva ancora spiarlo, sicché esso doveva ignorare d'essere stato sorpreso.

Le zittelle si ritirarono adesso per prendere riposo. Non avevano quasi fatto a tempo a chiuder gli occhi, che venne la notizia d'un nuovo sacrilegio alla cappella. Stavolta la monaca mandata dal convento, per tema d'offendere quelle pie donne, s'era limitata a far l'ambasciata al portiere; costui, sapendole mattiniere, era salito subito.

Cosicché, fra l'altro, la cosa s'allargava, e tutto il caseggiato, per non dire tutto il rione, era a parte dell'ignominioso sospetto, e ormai certezza, che gravava su Tombo. Le monache della comunità non facevano, è vero, in quella storia la miglior figura. Taluno infatti pretendeva aver udito, tempo addietro, di fiere gazzarre notturne al monastero; le quali sarebbero state originate dal fatto che le sorelle avevano, le prime volte, scambiato Tombo per un caudato diavolo salito a punirle dei loro peccati. Ma quanto sia vivace la fantasia popolare tutti sanno.

CAPITOLO QUINTO

Il giorno che seguì quell'agitata notte Nena era quasi tornata in sé, o così almeno appariva. Dette relazione alla sorella e alla serva, e insieme discussero a lungo. Ma a mano a mano che quelle si convincevano meglio della responsabilità di Tombo nella faccenda delle ostie consacrate, e senza ambagi, vedendola più calma, l'affermavano; Nena sempre più apertamente l'andava negando. Che la scimia fosse tipo da battersela segretamente per andare a sgambettar sugli eucalitti non poteva non ammettere, diceva; pure, fra l'una cosa e l'altra c'era un bel tratto. « Macché », concludeva ella ogni volta, passeggiando per la stanza colle fettucce delle mutande pendenti, ché di far toeletta quel giorno non s'era parlato; « macché, è incapace di fare una cosa simile! ».

Nena, per non più tornare su questo punto, era una di quelle nature le quali in un certo senso temono inconsciamente se stesse, e ad ogni modo hanno bisogno d'acquistare assoluta sicurezza di certe cose, poiché sanno che tali cose provocheranno in loro reazioni, intime o aperte, irreparabili; né preferiscono evitare queste ultime mantenendosi in stato di relativa ignoranza, ove al contrario cercano e, per così dire, si augurano le prove decisive, quanto più dolorose debbano loro riuscire. Nature crudeli, se si vuole; o almeno giuste fino alla crudeltà. Del resto questa è facile psicologia, e non garantisco menomamente l'esattezza dell'interpretazione. Chissà mai cosa Nena davvero pensava o sentiva in quella circostanza? Non pretendo spiegar nulla, e torno alla mia cronaca.

— Macché, macché — seguitava ella a scuotere il capo. Mentre la sorella già andava almanaccando come si sarebbe fatto a tenere in freno la scimia per l'avvenire: — Hai capito eh, dico, una bestia che apre le porte, che si toglie il collare, vero, come si fa?... — e giù mugolii a non finire. Ma Nena a un tratto parve avere un'idea e passò senz'altro a vestirsi perbene, seguita dalle due che chiedevano spiegazioni. In breve, ella manifestò il proposito di recarsi al monistero accanto. — Non ci credo — disse — non ci posso credere se non lo vedo!

E in conclusione voleva chiedere alla madre superiora una cosa secondo le altre inaudita, contraria a ogni consuetudine e non da persona in senno: il permesso di vegliare la notte nella cappella, e di sorprendervi semmai in flagrante delitto la bestia. Le altre a sconsigliarla, e lei a fare a suo modo. Mettendosi l'ucculuto copricapo, disse:

— Andate da *quello,* che non gli manchi nulla;

a me non mi ci mandate, non lo voglio vedere. E se poi è vero — concluse uscendo — allora ci penseremo, adesso è inutile parlarne più.

Come Nena se la sbrigasse colla madre superiora non si sa. Costei dové cascar dalle nuvole al vedere quella vecchietta seria e pia tanto affannata per la moralità della sua scimia, quando le sarebbe bastato incatenarla un po' più solidamente. O piuttosto la suscettibile monaca s'offese che la comunità non fosse creduta sulla parola, sebbene poi le sue pecorelle non avessero scorto, di positivo, che un'ombra. Ma infine, a parte tutto, il caso era delicato: disgustare due più o meno munifiche benefattrici non le conveniva, sicché finì col prestarsi a quella follia, verosimilmente dopo aver consultato il direttore spirituale e chissà quanta altra gente. Sta di fatto che Nena tornò a casa, in capo a un'ora, un po' disfatta e col naso più che mai in sudore, ma avendo ottenuto quello che voleva. Ella rimase poi muta il resto del giorno, dormì alcun tempo, e la sera stessa si dispose alle sue nuove vigilie.

Avevano convenuto che una delle due rimaste spiasse tuttavia la scimia alla medesima maniera, ché Nena, appostata nell'interno della cappella, non poteva bastare a sorvegliarne i movimenti. Ora, la prima notte nessuna delle due scolte notò nulla di sospetto: la scimia dormì più o meno placidamente, e Nena, rincasata e udito il rapporto della ausiliaria, assunse una strana espressione tra di trionfo e di disappunto, i quali si risolsero nondimeno e stabilmente definirono in racconsolata tenerezza. Dopo la seconda notte quell'espressione, col suo accennato sviluppo, divenne più intensa, giacché Tombo aveva sì lasciata la gabbia e la casa, ma non s'era mostrato alla cappella; ch'era già un bel passo sulla via della sua parziale riabilitazione. — Lo dicevo io! — andava persino mormorando Nena. La terza notte...

Nena non era quasi mai sola durante le sue veglie alla cappella; per disposizione certo della superiora, le teneva compagnia, e magari un occhio sopra, or l'una or l'altra delle suore di guardia o portinaie, poiché la comunità faceva tra l'altro non so che servizio notturno d'assistenza agli ammalati. Questa terza notte, sua compagna era una monaca giovanina e timida, forse appena vestita, dall'accento furlano e che si confondeva e arrossiva solo a guardarla. Le due si erano appostate come le notti precedenti, e cioè in una specie di piccola sacristia per cui la cappella comunicava da una parte col resto dell'edificio, e di cui avevano lasciato semiaperto l'uscio. Nel loro campo visuale avevano a dritta la porta esterna della cappella, che apriva sul giardino dei due eucalitti, s'intende chiusa dal di dentro; a manca ma come dir di fronte l'altare, che quasi traguardavano, press'a poco come le tavole d'una ribalta chi sia fra le quinte. Non bastando poi il lumino che, in un certo punto di quest'altare, le monache tenevano sempre acceso, a illuminare convenientemente e irrefutabilmente la scena (era infatti di quelli che hanno lo stoppino galleggiante eppure quasi sommerso nell'olio, e che certo a fugar le tenebre non valgono), la zittella aveva ottenuto di lasciar ardere, a proprie spese, di qua e di là dal tabernacolo due grosse candele. Così, l'illuminazione era si può dir festiva, considerata la piccolezza della cappella.

La porta del sacro luogo era sormontata da una specie di rosta, o coda di pavone, senza vetro almeno ora, abbastanza fitta, ma non tanto forse da vietare il passaggio a una scimia. Era comunque quella l'unica apertura per cui l'animale si sarebbe potuto introdurre là dentro, poiché da quella appunto, salvo la porta medesima, prendeva unicamente luce la cappella; e per essa infatti pretendevano le monache averlo veduto talvolta fuggire. Le due dunque se ne stavano quatte e al buio, e tenevano gli occhi fissi verso lì. S'erano aggiustate, l'ospite, non si sa quanto desiderata, su un seggiolone imbottito di pertinenza forse del vescovo o del confessore, la suora su una panca; e andavano nel frattempo biasciando i loro tributi, inframmezzati da qualche tentativo di soffocata conversazione per parte di Nena. Ma da una tal monacella non si potevano cavare due parole a fila. Essa sorrideva, sorrideva, o era da supporsi che lo facesse, e solo finì col dire tartagliando che a suo giudizio stanotte la scimia sarebbe di certo venuta, perché « non passava mai tre notti » (ossia non mancava mai per più di tre notti).

Ed ecco, sull'ora antelucana, quando una natural sonnolenza già gravava le loro palpebre, una vaga ombra mostrarsi a quella rosta; un'ombra che apparve un attimo enorme, poi bruscamente diminuì di volume e prese consistenza.

Tombo introdusse dapprima tra i ferri il lunghissimo braccio che già conosciamo, e lo agitò un poco quasi tentasse l'aria. Poi entrò di spalla e, dall'architrave, misurò la distanza che lo separava dal bacino d'un'acquasantiera ergentesi a dritta della porta, e vuota; sul cui orlo si slanciò con preciso volo. Ma poiché il suo contegno in simili circostanze ci è già press'a poco noto, non lo seguiremo partitamente nelle sue ulteriori evoluzioni, né ci fermeremo a considerare ogni suo attuccio. Fino a quando, attraversata velocemente, a ragno, la cappella per tutta la sua lunghezza, non si sarà inerpicato sull'altare. Ora Nena se lo vedeva lì davanti, a pochi passi si può dire, nella piena luce dei due ceri. Ella e la monaca s'erano impietrate e rattenevano il fiato. E la cosa orribile ebbe principio.

Tombo s'accostò con decisione al ciborio e l'aprì bruscamente, sbatacchiando il portello. Restato un attimo a guardar dentro di traverso, come una gallina, vi affondò il solito braccio e ne trasse per due volte una manata di ostie consacrate, che rapidamente divorò. Qui la monacella, non reggendo alla vista del sacrilegio, fece un gesto e strinse convulsa il braccio di Nena; questa intese che la compagna si preparava a intervenire, anche perché a lei lo scopo della veglia doveva ormai apparire raggiunto, e la inchiodò al suo posto con insospettabile energia, con violenza quasi, nel mentre le poneva una mano sulla bocca. L'altra temé, o fu tentata.

Tombo, divorate le ostie consacrate, fece un giro o due in atto grottesco sul limite del piano, quasi si aspettasse gli applausi d'un pubblico dopo il suo esercizio. Si riavvicinò quindi al ciborio e ne trasse stavolta una sola ostia consacrata, che lasciò cadere sull'altare; poi, tenendolo orizzontalmente pel gambo, il sacro calice, che lasciò del pari cadere, senza seguirlo collo sguardo; da ultimo, colla dritta, il sacro corporale, che serbò per contro. Mosse ora verso la cornice dell'altare e prese colla sinistra l'ampolla del sacro vino, che si strinse al petto. Tornato, si fermò collo sguardo ottuso e con questi due ultimi oggetti in mano, come se non sapesse che farsene, o piuttosto, colle mani impacciate, non sapesse seguitare. Infine scosse con violenza il sacro corporale e, riuscito in tal modo a spiegarlo, lo vibrò ai suoi piedi. Indi lo raccolse, posandosi nell'atto l'ampolla fra le gambe, ma un attimo dopo raccattò questa abbandonando quello; per tenerli finalmente ambedue, come al principio della manovra. Senonché, per via del suo gestire a scatti, una parte del sacro panno gli s'era avvolto attorno all'avambraccio, e adesso Tombo s'accorse che poteva adoprare la mano dritta senza che perciò il sacro panno medesimo cadesse. Riafferrato dunque il sacro calice, e crollata che ebbe l'ampolla per farne cadere il tappo, si dispose a versarvi il sacro vino. Pel che fare, operò in bizzarro modo, e cioè: senza allontanare la boccia dal petto, accostò a questo, e insieme all'imboccatura di quella, il sacro calice stesso; quindi, buttandosi indietro con tutto il corpo e contorcendosi alquanto, ottenne che alcune gocce di sacro liquido passassero dall'un recipiente nell'altro. Ciò fatto, s'accoccolò e delicatamente si depose la sacra coppa fra i piedi. Poi, levatosi in moto brusco, brandì con una sorta di foia l'ampolla e ne leccò l'orifizio; subito dopo vi si attaccava e beveva il sacro vino rimasto fino all'ultima gocciola.

Non era molto, quel sacro vino, e tuttavia l'effetto fu quasi immediato. Senza propriamente ubriacarlo, esso valse a conferire all'animale un gran tono e una grande baldanza, e, ai suoi gesti, un ché d'ancor più brusco e risibile. Ora l'ampolla fu abbandonata alla propria sorte; lasciatala cadere, Tombo la respinse poi rabbiosamente con ambo le mani. Giacché s'era riaccoccolato per riprendere il sacro calice, che dispose adesso nel bel mezzo dell'altare. Raccolse anche l'ostia consacrata e ve la poggiò sopra a mo' di coperchio. Diede infine di piglio al sacro corporale, che tuttora gli pendeva dal braccio, ma non per coprirne i due primi oggetti, sibbene per buttarselo alla brava sulle spalle. Così parato, s'aggirò alquanto attorno a quelli con passo che si sarebbe detto di danza; saltò alcune volte a piè pari, precipitosamente, battendo forte colle piote il piano. Venne al sacro calice, che prese mantenendosi di spalle al luogo pei fedeli, guardando ossia il ciborio; lo elevò; lo riposò; fece un mezzo giro su se stesso, allargò le braccia, ma senza troppo discostare i gomiti dal corpo, colle palme aperte; si rigirò di nuovo verso il sacro calice, di nuovo lo elevò.... Le due donne per un momento non capirono, si rifiutarono di capire.... Lettore, non ne ho colpa: *Tombo diceva messa.*

Esso ormai divorò bestialmente l'ostia consacrata e bevve il sacro vino. E qui una nuova esitazione mi prende. Non so s'io abbia il diritto di dire ogni cosa e di turbare fino a tal punto le anime bennate; ma infine m'è forza riferire l'ultimo abominio di quella abominosa notte. Colto da improvvisa necessità, Tombo lasciò cadere il sacro calice e ruzzolar pel piano; e, contro uno spigolo del tabernacolo... devo pur dirlo in qualche modo, scompisciò l'altare.

Sorse il grido lungamente rattenuto della monacella; la quale si buttò in ginocchio e fra convulsi singulti andava esclamando, e poi mormorando appena: «Signore perdonaci!». Quanto alla zittella, non profferì verbo. Essa si levò trasognata e mosse verso la chiesa.

Tombo, a quel fracasso, s'era affrettato a ributtar tutto nel ciborio, di cui aveva risbatacchiato lo sportello. Adesso riconobbe certo la padrona e, attraversata a precipizio la cappella mostrando per ogni segno un pazzo terrore, se ne andò per dove era venuto.

Approfittando di quest'attimo di sospensione, arrischierò un'ipotesi: che la scimia avesse, magari più d'una volta, assistito al sacrifizio da lei stanotte rozzamente ed empiamente contraffatto. Usava infatti, s'è veduto, uscire al lume delle stelle; e vero è anche che la prima messa si dice in taluni luoghi e in talune stagioni ancora a buio. Tombo dunque poteva aver osservato il cerimoniale di dietro alla rosta, essendosi per avventura attardato fuori; finché una bella notte gli era venuta la fantasia di imitare quegli officianti. E fu la sua prima e ultima prova. Ma torno a ripetere che non pretendo, del resto, spiegar nulla di questa oscura storia.

L'animale, avendo preso più rapido cammino, precedé Nena a casa; dove rientrò in furia nella gabbia, si trasse dietro l'uscio (solo tralasciò, stavolta, di riabbassare il nottolino) e si rimise il pettorale, che tuttavia gli restò torto e in tirare su una spalla. Quando la padrona di ritorno venne in cucina, fu preso da un tremito violento in tutte le membra, si buttò nondimeno sul suo giaciglio fingendo di dormire; ma subito dopo, come convinto che una tale astuzia fosse ormai inutile, riaprì gli occhi e li fissò supplichevoli su di lei. Squittì poi debolmente e fece l'atto di strapparsi i capelli, volendo forse con ciò confessarsi pentito. L'altra non gli disse nulla e parve addirittura non avvedersi della sua presenza.

Alle febbrili interrogazioni delle due donne rimaste non rispose che: « Deve morire ».

CAPITOLO SESTO

Lilla, sostenuta in parte da Bellonia, tentò con tutte le sue poche forze la difesa di Tombo. Come eccessiva le era parsa la costernazione della sorella ai trascorsi della bestia, così ora le pareva eccessivo e crudele il progettato castigo, che pure era la logica conseguenza di quella costernazione. Lamentandosi, persino talvolta piagnucolando, il che le devastava lo scarno viso più di quanto possa concepire una comune fantasia, collo stringinaso di traverso, ella trotterellava a tutte l'ore dietro a Nena e si studiava d'addurre argomenti in favore della scimia, i quali erano poi sempre i soliti e i medesimi. L'altra, non disposta dapprima a dar spiegazioni, vi si decise da ultimo e prese a ragionare in modo che sembrava normale; ma rimase irremovibile. Ne nacquero come sempre di gran discussioni.

Le ragioni stesse di Lilla, diceva Nena in sostanza, valevano a farne disperata la causa, e proprio perché Tombo era un animale, poteva e doveva seguire la sorte dei suoi simili; gli animali invero hanno sì diritto alla massima indulgenza, ma quando si tratti di comportevoli trascorsi e peccati veniali, se per contro divengono nocivi e pericolosi, si sopprimono. E questo non era soltanto nocivo e pericoloso, sibbene anzi qualcosa di peggio, per non voler pronunciare la propria parola. E d'altronde una tal bestia, Lilla medesima l'aveva detto, come tenerla a freno? Se non una cosa, ne avrebbe fatta un'altra, e, qualunque precauzione si fosse presa, avrebbe inventato alcunché da frustrarla. Senza contare che loro due sarebbero veramente diventate la favola di tutta la città (così diceva la zittella), se non s'appigliavano a un pronto ed energico partito; e non la favola, l'obbrobrio, epperò le reiette, della gente dabbene e timorata. In verità, non si sa come, poche ore dopo il fatto la storia della scimia che diceva messa era su tutte le bocche, nel rione. Già principiavano in casa delle zittelle le visite di casigliane, e anche di vecchiette quasi sconosciute, con vari pretesti. Del traffico col monastero non si parla.

Argomenti, questi di Nena, che non si può dire al postutto non fosser migliori di quelli della sorella; e che erano atti a convincere chi, come Lilla, non avesse ben capito come stavano le cose. Della quale incomprensione, soggiungerò di passata, io stesso non oso fare una colpa alla poverina. Questa comunque, persuasa a metà, non si dava tuttavia pace. Quando, dandosi per perduta, inconsapevolmente tentò la suprema risorsa e in maniera vaga rammentò a Nena che Tombo era un sacro ricordo, e anzi rappresentava in certo modo il loro fratello morto, colei ribatté quasi stizzita che Tombo era soltanto una bestia e non rappresentava nessuno, e che se il fratello fosse stato vivo e avesse veduto tale bestia macchiarsi di simile nefandezza, certo neanche lui avrebbe esitato ad ammazzarla. Infine, tutto quanto Lilla poté ottenere fu che, prima d'eseguir la condanna, si consultasse per scrupolo di coscienza qualche sant'uomo di comune fiducia.

Bazzicava per casa, e può darsi dirigesse le coscienze appunto delle zittelle, un certo prete vecchiotto, o forse non prete ma qualcosa di più nell'ecclesiastica gerarchia, monsignor Tostini insomma. A costui fu rimessa in suprema istanza la decisione. Ma c'è caso che suprema istanza sia troppo dire: non è escluso che Nena si riserbasse di fare a suo modo se anche il monsignore si fosse pronunciato contro di lei; pel momento però non le costava nulla dar quella soddisfazione alla sorella, e inoltre conosceva i suoi polli.

Era, monsignor Tostini, come dire sordastro, e aveva di conseguenza una gran voce. Era un di quei preti che affettano di parlar senza ambagi, e al tempo stesso ostentano una gran tolleranza e comprensione in tutte le faccende umane e non umane; che paiono grandemente apprezzare e gloriosamente celebrare la natura e il mondo del buon Dio; che con esemplare mitezza fan mostra di considerare i falli dei deboli peccatori; che con mansuetudine devon talvolta sofferire gli oltraggi; che hanno un sorriso buono, che parlano di volate di rondini e di campane a mattutino, dei propri polmoni dilatantisi all'aria della campagna; che in ogni cosa vogliono apparire inclini all'indulgenza. Un di quei preti, in una parola, di cui la gente dice: « Veh il santuomo, quello per davvero segue le orme di Cristo! »; e di cui più declamatoria e retriva genia non si dà.

Orbene, questo monsignore, invitato nel salotto verde, vi udì le parti. Quindi, senza pronunciarsi alla prima, e dopo alquanti mugolii di dubbia interpretazione, imprese un discorso che commosso lo era digià, ma che non si sapeva bene dove volesse parare, tanto ampiamente era impostato; che era comunque inteso a lodare in general tono Dio nelle sue creature. Senonché egli si aggirava appena sull'esordio, quando picchiarono alla porta di casa. Era un altro prete, chiamato dalle zittelle padre Alessio senza più; si può dire ancora un giovinetto, tonsurato forse l'anno innanzi; biondo e d'occhi celesti. Un prete timido e facile ai rossori, e che già dicevano molto caritatevole, sebbene abitasse da poco la città; era infatti straniero, svizzero salvo errori. Costui capitava per caso, per tutt'altre ragioni da quelle che tenevano riunita la corte in salotto, e che egli ignorava. Convenne nondimeno invitarlo in detta stanza e, dopo averlo brevemente informato, a prender parte al dibattito.

Il Tostini, che non lo conosceva, era rimasto non poco seccato dall'interruzione, caduta proprio quando i suoi occhi principiavano finalmente a inumidirsi. Ristabilitasi la calma, riprese il suo discorso, ma con tanto vasti e impensati sviluppi, che Lilla, la quale tremava per la sorte di Tombo, osò approfittare d'un suo scatarramento nel fazzoletto per interromperlo. Balbettando quasi, ella gli chiese se credeva in sostanza che si dovesse ammazzare la scimia. Il monsignore, messo alle strette, mugolò e mugolò, ma dovette finire col pronunciarsi. E si pronunciò press'a poco in questi termini, tralasciando, s'intende, le numerose volte della sua eloquenza:

Vi son peccati che si possono e si devono perdonare, taluno persino dei capitali. Non è ad esempio chi non veda che, orribile e orribilissimo com'è il peccato di gola, si può trovare il verso, se non di giustificarlo, di scusarlo: e in verità fare onore, sia pure smodatamente, alla mensa imbandita da Dio non è sempre irreparabile colpa. (Questa poco ortodossa longanimità del Tostini era in parte interessata. Si omette ora l'ulteriore casistica). Altra cosa è per quei peccati che nessun animo bennato può considerare senza fremere. Peccati inqualificabili; peccati che non possono sperare di trovar remissione né davanti all'Eterno né davanti agli uomini; peccati cui s'applica la sentenza di Dante là dove dice: qui vive la pietà quando è ben morta. (*Omiss.*). I peccati, insomma e appunto, contro la maestà di Dio; che fanno poi un unico e abominato genere. Su questi peccati e questi peccatori infierire è gloria. Dove andrebbe a finire tra l'altro il mondo, la società, l'individuo, se si trovassero spiriti tanto vili, o se comunque si trovassero in maggioranza, da tollerare un tal genere di peccati? (*Omiss.*). Ora, la scimia

in quanto animale aveva diritto, senza dubbio, a una
più grande indulgenza; ma al tempo stesso, di nuovo
in quanto animale, ammetteva una più grande seve-
rità ed escludeva i soverchi scrupoli. Giacché Dio
creò gli animali sottoposti all'uomo e per suo co-
modo. Le due eccezioni dunque si compensavano.
— L'ostia consacrata — esclamò da ultimo il Tostini
— non solo frantumata, ma frantumata da denti
bestiali! L'altare di Cristo insozzato!... —. La conclusione era chiara: pollice verso.

Lilla basì. Nena serbava un'aria del tutto mode-
sta e naturale, come a dire che non c'era nulla di
strano se una persona da senno si pronunciava in
quel senso. Ella appariva però anche un poco distratta; e distrattamente, per cortesia, chiese il suo
parere a padre Alessio.

— Sì, sì, — rincalzò benevolo il Tostini — cosa
ne pensa il mio caro fratello in Cristo?

Il giovane prete, che aveva fin lì taciuto in attitudine deferente, arrossì forte e s'aggiustò sulla poltrona schiarendosi per timidezza la gola.

— Non saprei... — disse con sensibile accento
straniero — ma... ma mi pare che la scimia sia innocente.

— Eh?... — fecero tre voci a un tempo, o meglio
quattro, dato che Bellonia era scivolata intanto nella
camera, sedendosi vicino alla porta. Quanto al Tostini, fece eh perché non aveva difatto udito, e anzi
si pose la mano attorno al padiglione dell'orecchio,
sorridendo ottusamente.

— Sì... — riprese padre Alessio spaventato — insomma non ne ha colpa....

— Non ne ha colpa la scimia di ciò che ha fatto, intendete? — disse con ugual benevolenza il monsignore, che aveva stavolta udito. — Sì e no. Capisco cosa volete dire: che una scimia è un ignaro bruto. Tuttavia chi pecca è peccatore. Non dimenticate d'altronde che quando un sacerdote rimette un peccato (e non tutti i peccati si possono rimettere, come ho chiarito prima), non lo fa già per nulla o, diciamo, *gratis et amore Dei*. Se, in armonia al precetto che suona: « Iddio non vuole la morte del peccatore, ma che si converta e viva » si cerca, e sempre si dovrebbe, colpire il peccato stesso anziché il peccatore; non è men vero che il peccato rimesso lo è a patto di qualcosa, che esso attende la sua espiazione, il suo ben proporzionato castigo. Il quale non manca mai di seguire, tanto più terribile se segua solo nell'animo del peccatore. Eh, sarebbe bella che un peccato qualsiasi, un'offesa dico all'Eterno, al Padrone di tutto e di tutti, rimanesse inulto! Ma qui, mio caro giovane, in cambio di che, rimetteremmo all'animale il suo nefando peccato? Questo, chi dovrebbe pagarlo? Provate un po', — soggiunse il Tostini con paterna giovialità — provate un po' a evangelizzare il popolo delle scimie! Ciò per venirvi incontro fino al punto da ammettere che il peccato trovi il suo riscatto anche solo nella conversione del peccatore. Eppure torno a ripetere: questa conversione deve sì o no essere accompagnata almeno da fiere doglie di coscienza? Che sono appunto il castigo... ehm ehm... e che nel nostro caso non possono... ehm... sopravvenire.... È chiaro?

Come il discorso gli si confondeva, il monsignore rifiatò. È d'uopo del resto soggiungere che stava aspettando con impazienza il caffè, perché a quell'ora soffriva di languidezze; le donne nella gravità del momento se n'erano dimenticate.

— Ebbene, mio caro giovane? — diss'egli ancora.

Padre Alessio si sentiva diventar rosse le orecchie in modo indecoroso, sentiva che a parlare avrebbe balbettato, inoltre si temeva un poco, e per soprammercato il tono paterno dell'altro gli dava ai nervi; sicché si agitava sulla poltrona tossicchiando debolmente e non diceva nulla. Ma l'altro non la intendeva a questa maniera. — Ebbene mio caro giovane? parlate, parlate pure liberamente —, badava a ripetergli. Senza dubbio la timidezza dell'altro lo divertiva e lo confermava nella propria sicurezza.

— Ecco... — disse finalmente il giovane, balbettando come aveva preveduto, ma con una leggera irritazione nella voce, preveduta solo in parte, — ecco, voi di nuovo parlate di peccato, voi avete detto prima che la scimia ha diritto a una maggiore indulgenza.... Ma perché maggiore soltanto? A tutta l'indulgenza possibile, piuttosto. Che cosa ne sa una povera scimia dei vostri altari e delle vostre ostie consacrate?...

— Padre! — disse Nena.

— Padre!! — disse Lilla.

Bellonia mormorò qualcosa fra i denti. Monsignor Tostini non era sicuro d'aver udito bene l'ultima frase e gridava: — Che? che? — protendendo il volto e senza smettere, a buon conto, il suo sorriso. L'espressione di padre Alessio era in verità un po' forte, ma, a parte tutto, questi l'aveva pronunciata solo perché non gliene era venuta altra più felice, e difatto nel senso che spiegò.

Tutti, dopo una pausa: — I *vostri* altari, le *vostre* ostie!

— Ma sì... volevo dire nostri... dicevo vostri per dire quelli di cui voi, monsignore, avevate parlato... — e il giovane sospirò d'interno calore.

— Beh, beh, lasciamo andare — disse il Tostini, tuttavia benevolo. — Ma ho già risposto, mi sembra, all'obbiezione. La scimia non sapeva quel che si faceva, sta bene, ma a questa stregua.... Alle corte, un orribile peccato è stato qui commesso. Chi, torno ancora una volta a ripetere, deve pagarlo, secondo voi? Di questo peccato cosa ne facciamo, giovanotto? Non spererete, certo e neppure (come ho del pari già detto), che la scimia si penta. E Dio, giovanotto, è infinitamente misericordioso e buono, ma è anche dio di giustizia e, se per tanto dà tanto, così per tanto *vuole* tanto.

I due «giovanotto» avevano irritato padre Alessio ancor più dei molti «mio caro giovane»; tuttavia, afferrandosi ai bracciuoli della poltrona, egli riuscì a parlar dolcemente.

— Sì, ma... eppoi non è quello che intendevo.

E in ogni modo... insomma il peccato l'hanno inventato gli uomini.

— Come come? — disse Nena, che aveva capito alla prima; Lilla le fece eco.

— Calma, signorine mie! — intervenne il Tostini, perdendo una miscea del suo sorriso. — Il mio giovane fratello e confratello può aver ragione, se per inventato intende commesso. Senza dubbio l'uomo non aveva bisogno di peccare per esser felice nell'Eden; e anzi colla sua disobbedienza ha apprestato a se stesso una vita e talvolta, *quod Deus* a buon conto *avertat* da tutti noi, un'eternità di tormenti. Nondimeno il concetto, la nozione di peccato ci viene direttamente e proprio da Dio; da chi altri invero potrebbe? Non ci ha Egli, per mezzo del suo divin Figliuolo, insegnato che cosa è bene e che cosa è male? Non ci ha concesso di scegliere liberamente tra l'uno e l'altro? E con ciò, mio caro giovane, ci ha additato (perché ce ne guardiamo) il peccato, che si contrappone all'oprare secondo, ehm, le sue intenzioni....

— Sì, ma... — ridisse padre Alessio, prendendo coraggio a mano a mano che aumentava la sua irritazione. — Ma una scimia che cosa ha a che vedere con tutto questo? La vostra, voglio dire nostra, morale, andrà bene semmai per gli uomini, non per gli animali. Gli animali non hanno il... nostro famoso libero arbitrio.

— *Semmai, famoso,* uhm... — bofonchiò il

monsignore perdendo un'altra oncia del suo sorriso. — Ma quante volte, benedetto figliuolo, ve
lo devo ripetere — riprese staccando le parole e
cantilenando — che il peccato sussisterebbe anche
se per avventura non esistesse il peccatore? È nostro
sacrosanto dovere è estirparlo sotto qualunque forma
si manifesti e con qualunque mezzo. Ma poi qui
il peccatore c'è, anche se non sa d'aver peccato,
dico se... veh che mi fate confonder le idee. Ma
poi ancora, adesso che ci penso, cosa volete dire
quando affermate che gli animali non hanno il
libero arbitrio? Non vorrete, spero, già credere che
se la scimia ha commesso il suo crimine orrendo
lo ha fatto per volontà di Dio? E infatti, gli esseri
che non hanno il libero arbitrio non possono seguire che la volontà di Dio: quella di Satanasso
conta solo nel cuore degli uomini, quando purtroppo vi conti. Dunque, giovanotto, osereste mai
sostenere una simil cosa?

— Non la sostengo, eppure....

— Non ci tenete neppure! E a che cosa di
grazia?

Ma quella ridicola interruzione, dovuta alla parziale sordità del Tostini, ebbe su padre Alessio un
magico effetto. Tutto quanto egli aveva ringoiato
sul principio del discorso, e tutto quanto non gli
appariva ancora del tutto chiaro, gli venne d'un
tratto alle labbra con imprevedibile e incontenibile
violenza; il giovane fu liberato. Inoltre, costretto ad

alzare d'un tono la voce, e prestandosi scambievol-
mente gli organi vocali e il cervello calore (sì che
l'espressione delle sue idee ne acquistava una veemenza a lui medesimo sconosciuta), andò sempre
più eccitandosi fino ad entrare in una sorta di
ebbrezza.

CAPITOLO SETTIMO

— Come: eppure? — aveva chiesto freddamente Nena.

— Ma che cosa dite, sapete che state bestemmiando? — aveva arrischiato timidamente Lilla. E Bellonia aveva a sua volta ribofonchiato qualcosa che accennava alla sua poca edificazione. Mentre il Tostini, senza sapere né come né quando, stimava però utile per ogni caso considerare il giovane con un'arietta ironica. Stretto dunque da tutte le parti, questi proruppe, con cruccio e ostinazione quasi infantili:

— Sto bestemmiando? Tanto peggio semmai! Ma non sto bestemmiando, datevi pace. Voi, voi tutti bensì state bestemmiando. Ma di quale Dio parlate? Dio non è quello che credete. Dio è, monsignore, al pari di me, al pari di quella scimia, estraneo alle vostre complicate partite di dare ed avere! Dio non ha nulla a che fare colle vostre o nostre istituzioni morali, coi nostri altari, colle nostre ostie consacrate; non dico che sia al disopra o al disotto di queste cose, dico anzi che esse non gli appartengono, non gli sono pertinenti, o almeno non più di altre, di tutte le altre cose, di tutti gli altri moti dell'uomo, degli animali o degli astri. Dio non è un dio di giustizia, non è neppure misericordioso, non è cattivo e non è buono....

Tutti: — Dio non è buono!!

— No, non è buono come non è cattivo: le vostre qualifiche morali, monsignore, non gli si applicano. Dio non è tanto degradato da conoscere il bene e il male. Poco fa ho detto che fu l'uomo a inventare il peccato, e poi vilmente ho taciuto alle vostre parole. Ebbene, non quello che voi avete mostrato di intendere, volevo dire. Volevo dire e dico che l'uomo ha inventato proprio la nozione del peccato, ed è questo il suo maggiore, no, il suo unico peccato.... Il libero arbitrio! Ma sapete voi che bestemmia è, questa sì, la vostra credenza nel libero arbitrio? Sapete voi che il libero arbitrio nega Dio come non lo negherebbe nessuno dei vostri pretesi peccati, se esistessero....

— Lo afferma anzi, perchè....

— No, lasciatemi dire, non hanno qui luogo i vostri argomenti canonici. Lo nega non per le ragioni che vi hanno insegnato a confutare. Lo nega pel fatto stesso che lo limita, che lo limita sto per dire nello spazio. Supponiamo che Dio abbia detto all'uomo: queste sono le due vie, segui l'una o l'altra (prescindendo qui dalle ricompense e dai castighi relativi che vi siete scioccamente divertiti a inventare); e supponiamo che un uomo voglia seguire quella del male. Ebbene, in quali termini, con quali mezzi intendo, entro che ambito potrebbe seguirla? Non dovrebbe egli valersi, per farlo, di ciò che Dio stesso gli ha dato? Non son forse di Dio tutti i moti del suo cuore, come tutti gli strumenti della sua azione, non sono anzi queste cose parte di Dio? Ma no, ciò non vi conviene, ché allora Dio sarebbe responsabile di quel male. V'è dunque una strada che non passa per Dio, vi sono cose che sfuggono al suo dominio, secondo voi. Né vale qui invocare il balordo sofisma che quelle cose sfuggono al dominio di Dio perché tale è appunto la sua volontà. Come può darsi una simile volontà? Potrebbe sì darsi se Dio fosse altro dalle sue creature, se Dio non fosse in tutte le cose create (come per contro voi stessi ammettete), se Dio insomma non fosse Dio! E invece l'universo intero è il suo corpo vivente. E Dio stesso non può quest'unica cosa: liberare le sue creature; perché le sue creature non sono altro da lui, ed egli altro non è che le sue creature. Dio stesso non può negare se medesimo, senza cessare di essere Dio, anzi di essere alcunché. Il tutto insomma non ha potere di farsi nulla, se anche il nulla può farsi tutto. Dio che cessa di essere Dio, che cessa di essere! diventa un ridicolo bisticcio. Ma così non stanno le cose, monsignore....

— Ma Dio....

— Dio, Dio non so che sia. Cento volte ogni giorno lo bestemmio e cento lo benedico.... Non so che sia, e per questo forse gli son più vicino.... Me lo figuro talvolta come l'idea generale o astratta di tutte le innumerevoli cose che si trovano sulla terra, perché la terra sola conosco. L'idea astratta di codesto vostro cappello posato sulla tavola è ciò che lo accomuna a tutti gli altri possibili cappelli; e così Dio sarebbe ciò che accomuna, che lega, ogni cosa con ogni altra cosa, il fiore all'uccello, la luna al palmo della mia mano, ciò in cui ogni contrasto trova pace e ogni eterogeneo diventa omogeneo, restando tuttavia diverso. Sarebbe quanto quegli oggetti, dissi, hanno di comune fra loro; e quanto ha di comune ciò che noi chiamiamo odio con ciò che chiamiamo amore, la superbia coll'umiltà. Per questo dicevo prima che ignora il bene e il male, che non lo si può dir buono né cattivo. Non rientra in nessuna categoria morale perché niente è al difuori di lui, e tutto egli comprende. E per questo anche ogni cosa ci deriva da lui, il cosiddetto bene come il male, senza distinzione....

— Gesù!

— Oh Croce santa!

— Potenza divina!

— No, non vi allarmate, non bestemmio perciò. Voglio dire che il male non è male, forse, che tutto è bene. Ma poi no, non so che cosa voglio dire... Dio, lo cerco.... Ebbene sì, anche quello che chiamiamo male ci viene da lui: così io lo adoro!... Lo cerco; è questo il modo d'adorare delle creature, l'altro è perderlo per sempre. Lo cerco senza tregua. So di non perderlo perché non lo troverò mai. E non posso trovarlo: io sono lui, e quando dico che lo cerco intendo che cerco di essere il più possibile lui.... So anche che cosa pensate: che mi contraddica, perché anche l'altro modo di adorare ci viene da lui ed è lui: io stesso l'ho detto che tutto è lui. Ma non m'importa di contraddirmi, eppoi non mi contraddico; soltanto, non ho parole per dire quello che voglio e sono costretto a servirmi dei vostri e nostri termini. Non ignoro che adorare, secondo la mia idea di Dio, non vuol dir nulla: come si può infatti adorare se stessi, essendo se stessi? Giacché io, di nuovo, sono Dio, al pari di tutte le altre cose create. Dicendo lo cerco intendo forse semplicemente che sono già lui, con tutto quanto egli contiene, è, di bene e di male.... E neppure « creazione » ha più senso: non si può parlare di cose create se Dio *è* le cose create, le cose senza più. Dio non ha creato niente, Dio è. Io sono. Tutto è. Ovvero, poiché qui non hanno ormai valore le nostre distinzioni; non è, e io non sono, e tutto non è; o ancora il nulla è; o non è. Come volete infine.... Tento anche di negarlo, vorrei giungere a non sapere se esiste o non esiste (di nuovo e sempre son costretto a servirmi delle nostre parole), che sarebbe il più alto modo d'adorarlo. Ma non ci riesco. Ché negarlo non potrei senza valermi di ciò che egli m'ha dato, anche qui; senza essere, almeno. E se sono, lo affermo.... Tento di rappresentarmelo, quasi fosse possibile. Mi ricordo che al collegio, lassù, un compagno aveva scritto non so che racconto, e Dio vi compariva; sotto forma di bambino in fasce. Bam-

bino in fasce, perché no? o vecchio barbuto è
tutt'una.... E intanto lo adoro in tutte le sue creature, che sono parte di lui e di me. In tutte le sue
forme, che sono ciascuna perfetta. So che altre infi-
nite forme l'uomo, orgoglioso, crede di poter inventare; ma sarebbe illusione che fossero più perfette
o che non fossero Dio. Esse sarebbero solo forme
diverse, meno manifeste, di Dio. Ciascuna forma,
dico, è in sé perfetta: come tale, non può essere
che così.... So che parlo oscuro e che ogni momento
di nuovo mi contraddico; ma ho detto che non me
ne importa, se però è vero.... Quante volte mi son
sorpreso in ginocchio davanti a un gatto che si lava
la faccia, davanti a uno scoiattolo (ce n'era uno
lassù al presbiterio) che mangia una noce, davanti
a un rospo al sole che, allarmato resta a metà passo,
con una zampa stesa ancora indietro e, immobile,
guarda e ascolta! O davanti a qualunque altra cosa,
davanti a un filo d'erba come davanti alla casa d'un
uomo, davanti alle stelle del cielo come ai rifiuti d'un
corpo vivente. Ecco, mi dico, questo gatto è così e
non può essere che così, ed è perfetto; un'altra cosa
o forma non sarebbe mai un gatto più perfetto o più
bello di questo, sarebbe soltanto un'altra cosa, non
sarebbe un gatto. Ma quest'altra cosa sarebbe ugualmente perfetta in sé.... Non spero di farmi capire.
Potrei forse con altre, con gelide parole, ma allora
mi capireste, appunto; e questo sarebbe segno che
mento.... Tali ad ogni modo, monsignore, sono i
miei infiniti altari; non miei, di tutti (come voi dite)

gli uomini di buona volontà. Fra questi altari il più piccino e il più triste — quello davanti a cui si genuflettono i vostri sacerdoti.... Hanno pensato alcuni che l'uomo pecchi perché il male e il dolore gli sono più graditi del bene e del suo bene, o che comunque il male gli sia altrettanto necessario che il bene. Cieca e presuntuosa affermazione! Che male e che bene? L'uomo pecca soltanto perché non può non peccare; ma poi non pecca. Né può essergli il male più gradito o necessario del bene, anzi non può essergli neppure necessario; perché è, come il bene, lui stesso. Ed è lui stesso perché è Dio stesso. Non c'è male e non c'è bene. Il male e il bene, anch'essi, *sono*, ché Dio *è* soltanto. E sono come una cosa sola, non l'uno contro l'altro. Anch'essi sono il corpo vivente di Dio; Dio insomma senza più....

Il giovane s'era prima levato in piedi. Ora ricadde a sedere di schianto, un'ombra parve oscurargli la fronte, i suoi occhi parvero spengersi. Vi fu una breve pausa. Gli ascoltatori erano senza fiato. Poi padre Alessio sembrò nuovamente animarsi, ma di altra e più trista foga.

— Scusatemi, — riprese — se vi ho parlato di me; o piuttosto scusatemi se vi ho parlato di Dio, che è argomento da non piacervi.... E ora, la scimia ha mangiato l'ostia consacrata, la scimia ha celebrato la santa messa: e con ciò, vi domando? Non può ciascuno celebrarla, se così gli piace e se proprio lo crede necessario? Di quale creatura, per parlare al vostro modo, possono l'omaggio e l'adorazione non trovar grazia davanti al trono del Creatore? Non ha forse la scimia mangiato ogni giorno il corpo di Dio, anche prima? Non lo mangiano tutti ogni giorno? So bene che l'ammazzerete, questo che a voi appare deforme e immondo essere, questo che è essere santo e divino al pari di Dio, di cui è parte; che l'ammazzerete per un orrendo misfatto che è invece un naturale suo moto. Ma se così sarà, segno che dovrà essere così, anzi che così sarà, senz'altro. Il Dio, sempre per parlare al vostro modo, che gli ispirò di dir messa, avrà anche ispirato a voi la viltà, l'insipienza, la vergogna del vostro, ora sì, misfatto.... La scimia ha scompisciato l'altare: e con ciò? Dio....

Ma qui il Tostini riprese finalmente la parola, e le altre con lui: lo strano incanto, a loro medesimi incomprensibile, era rotto.

— Basta giovanotto! — gridò quegli levandosi a mezzo — Basta eppoi basta! Se ho potuto tacere finché davate nelle vostre oscure speculazioni, non commendevoli certo, ma che io, ehm, posso anche scusare in un giovane inesperto e troppo ahimé ardente, ehm ehm.... Macché scusare e scusare! — riprese a un tratto urlando come un ossesso — Cosa mi fate dire! Dio perdonami! Macché inesperto, macché ardente, dico! Voi siete tentato dal demonio! Macché tentato, voi avete già ceduto alle sue tentazioni, alle sue lusinghe! Voi siete sua preda.... Alle corte, giovanotto: voi ponete in dubbio verità sacrosante di fede, voi bestemmiate come il più tristo, come il più empio dei marrani, voi... quest'è il fatto. E io, io... io non posso mancare, verrei meno ai miei più santi doveri se non lo facessi, mancare di darne parte a chi di ragione. E ora, giovanotto, come vostro superiore, come sacerdote, come uomo, vi impongo di tacere!

E il Tostini ricadde a sedere ansimante e sibilante come una caffettiera.

— Basta voi coi vostri sproloqui, perdio! e coi vostri giovanotto (fortuna davvero che almeno non son più il vostro caro giovane!). Se io son giovane, voi siete la vivente dimostrazione che non sempre la vecchiaia va unita al senno, ecco quanto dovevo pur dirvi una volta!... Informate chi vi piace, di questo peccato saprete sì cosa fare! Ma anche dell'altro purtroppo.... Ah, perché non vi ho risposto, quando poco fa mi chiedevate, con ehm, veh, e altri versacci ignobili: di questo peccato cosa ne facciamo, giovanotto? — e padre Alessio contraffaceva la voce e il tono del monsignore. — Perché non vi ho risposto: mettetevelo in tasca, corpo del vostro Dio, per non dire nel tafanario!... Informate chi vi piace, ci tengo; confessatevi di ciò che avete oggi udito; chiedete « licenza ai superiori » anche di far pipì, con o senza candeletta!...

Il Tostini si rovesciò sulla poltrona rosso come un gallinaccio, portandosi una mano al cuore. — Soffoco! — mormorò.

Lo scandalo era al colmo. Le bestemmie, gli oltraggi di padre Alessio, e sopratutto la sua inaudita platealità, divenivano insostenibili anche per lui. Egli invero non è propriamente che avesse perduto il capo, anzi aveva acquistata una sorta di freddezza; ma godeva a esser volgare, o meglio voleva esserlo, gli pareva necessario. Facendo violenza alla sua urbana natura, si imponeva di esserlo il più possibile e, se non lo era maggiormente, è solo perché non ci riusciva.

Le due zittelle, imitate da Bellonia, s'erano ora levate. Strano o non strano a dirsi, la più sdegnata era Lilla, la cui causa, pure, il giovane a suo modo patrocinava; ella però non trovava parole e, colle lagrime agli occhi, aggiustandosi di continuo lo stringinaso, si limitava a tremare per tutto il corpo. Nena, un attimo indecisa, fissava il giovane prete che s'era del pari alzato, e anche le sue labbra tremavano. Bellonia emetteva dei *pos pos* soffocati, abbozzando segni di croce. Mentre il Tostini, tenendosi tuttavia la mano sul cuore, mormorava adesso:
— La sacra vivanda... dunque la sacra vivanda... lo scempio della sacra vivanda....

— Me ne sbatto della vostra sacra vivanda! — disse padre Alessio gelidamente, pronunciando la frase scurrile con visibile sforzo.

— Lasciate subito questa casa! — disse finalmente Nena.

— Via da questa casa! — ridisse Lilla con voce piagnucolosa.

— Via, via, *fore, fore*! — esclamò a sua volta
Bellonia, che era anche lei del paese laggiù.

— Non chiedo di meglio — ribatté padre
Alessio. — Ma prima ho ancora qualcosa da dirvi.
E proprio a voi, vecchia baffuta e corrotta. Perché
vostra sorella trema e non dice nulla? perché talvolta, non oggi soltanto, trema a guardarvi? Al pari
della scimia, questa povera creatura....

— Io non tre-emo af-fatto — bubbolò Lilla.

— Perché insomma — riprese il giovane senza
badarle — volete ammazzare la scimia? Quali sono,
dico, le proprie ragioni? — E, a vero dire insensa-
tamente, fissava Nena.

— Vi ho già pregato di uscire — replicò questa
con una specie di calma dignità. — E se davvero foste,
se non un sacerdote, un uomo almeno, vi farei no-
tare che possedete forse la seconda delle virtù cardinali, ma non la terza, e per nulla affatto la prima
e la quarta.

— È uno scherzo, un ridicolo indovinello! —
proruppe il giovane, tuttavia perplesso, suo malgrado, a quel singolare modo d'esprimersi, e necessariamente un tantino smontato. — È una ridico-
laggine degna di voi. Come se io sapessi per ordine
le quattro virtù cardinali! Ma neanche alla rinfusa!
Le quattro virtù cardinali, puah!... — si fermò per
cercare una frase volgare; non la trovò. — Rispon-
dete piuttosto alla mia domanda! — seguitò finalmente, riprendendosi del tutto.

— Infine come devo dirvi di lasciare questa casa?

— Sì, lasciatela — appoggiò debolmente il Tostini, che era da ultimo un po' tornato in sensi.

— Me ne vado, me ne vado! — urlò padre Alessio piantandosi il cappello in capo. — E adesso sacrificate quella povera creatura, la scimia, sacrificate me, sacrificate, come avete sempre fatto, il mondo intero di Dio a.... Vendicatevi. Vendicatevi della vostra vergogna, della vostra ridicola impotenza, del vostro astio, della vostra rabbia; vendicatevi d'esser vili, di non aver saputo vivere, d'esser corrotti. Vendicatevi, voi, di non essere stata scelta da un uomo, con cui avreste potuto abbandonarvi ai più sozzi piaceri. Ma l'amore, quello verecondo che Dio fa nascere fra gli uomini, vi è inviso, e per questo nessuno vi ha scelta; e per questo anche, voi abbiettamente invida, avete impedito che vostra sorella godesse a sentirsi stretta fra le braccia d'un uomo, a sentire sulle sue le labbra....

— Oh Gesù!

— E che c'è di male! Tale era il suo diritto: ognuno ha diritto alla sua felicità, e la felicità Dio ha disposto che sia facile averla, che sia (ad onta delle blasfeme affermazioni dei vostri sacerdoti) di questa terra!... Immaginate forse che vostra sorella non sarebbe più vicina a Dio se.... Anche ora, anche ora!... Vendicatevi di.... Oh Signore, salvala, liberala questa povera creatura dagli altri, da se stessa, dalla sua putrida castità!... Vendicatevi dunque di....

— Oh benedetto Iddio! Sia fatta o Signore la tua santa volontà!...

— Basta basta!

— *Fore fore!*

E Bellonia interruppe il frenetico e insensato discorso del giovane spingendo questi addirittura per i gomiti. Padre Alessio, come sbollito a un tratto, fece un gesto, si strinse nelle spalle, ed uscì. Bellonia lo accompagnò fin sulle scale, sbattendogli dietro la porta.

Nena si teneva una mano sugli occhi. Il Tostini, ancora estremamente abbattuto, non alzava i suoi. Vi fu un attimo di profondo e costernato silenzio. Stridula poi ed alta, da isterica, si levò la voce di Lilla:

— Signore abbi pietà di noi!

E qui tutti, per ultimo il monsignore, ricominciarono a parlare, a esclamare, a gridare, soverchiandosi a vicenda, non ascoltandosi. E qui anche lasceremo la compagnia ai suoi commenti.

Povero Tombo, ad ogni modo! Peggior avvocato non poteva trovare.

CAPITOLO OTTAVO

Ammazzarlo, ma come? Il meglio, diceva Lilla, è darlo a uno... sì, a uno di quegli istituti che senza dolore.... Ma no, gli faranno ugualmente male, ribatteva Nena andando in su e in giù per la stanza e torcendosi le mani al suo solito modo. Da quando era cominciata quella storia le zittelle apparivano più scarruffate di prima, ché non sempre pensavano a mettersi la reticella, e i loro cernecchi irti o pendenti avevano un color bianco giallastro o affumicato. Gli faranno ugualmente male a questa povera bestia! Eh, diceva Bellonia come a significare che quella non era poi la fine del mondo; eh, con una coltellata *in canna* non soffrirà affatto.... La buona fante era abituata ad ammazzar polli.

E se una bastonata in testa all'improvviso? e se un colpo sulla nuca come si fa coi conigli? se una martellata come si fa cogli animali vaccini? se un laccio alla gola? e se gli mettessimo la testa nell'acqua come si fa tante volte coi piccioni? e se mettessimo tutta la gabbia nell'acqua, come si fa

colle trappole dei topi? — già, ma dov'è un recipiente tanto grande se mai?... E non la finivano
più, e senza saperlo s'esercitavano a escogitare i
supplizi più raffinati per l'infelice animale. No, no,
l'unica è darlo a una di quegli istituti.... Ma ti dico
che gli farebbero male lo stesso! Eppoi se ne accor-
gerebbe, che deve morire; no, no....

Dalla sorpresa nella cappella erano passati due
giorni. Tombo, che il primo aveva seguitato a manifestare un folle spavento e s'era serbato umile e
buono il più che poteva, s'era andato durante il
secondo, visto che non gli capitava nulla, gradata-
mente rassicurando e aveva ripreso una parte della
sua abituale vivacità. Ma ora, vedendo quel concilio
di donne davanti alla sua gabbia, era di nuovo entrato in sospetto; forse anche capiva taluna delle loro
parole, poiché esse, dando per dimostrata la sua incomprensione dell'umana favella, non s'astenevano
che dal fare il suo nome. In ogni caso la bestia
riconosceva per istinto la verità di quel triste e ineluttabile proverbio che dice: «Concilio di volpi, ster-
minio di galline»; e volgeva gli occhi inquieta
dall'una all'altra zittella (Bellonia la prezzava meno,
ché ben sapeva qual'era il suo stato), scrutandone i
volti, lamentandosi debolmente, e ogni tanto ese-
guendo all'improvviso pazze giravolte per la gabbia.

Annottava; la cucina, squallida come tutte le
cucine quando non vi arda il fuoco e non vi si agiti
chi prepara il pranzo, era immersa in un funereo
crepuscolo. Nena disse, seguitando a passeggiare

colla sua camminatura da papera; ridicola nella sua senile pinguedine; in giubbetto, ma senza gonna. Disse tra febbrile e trasognata:

— Quando il tuo cane t'ha servito per molti anni e deve morire; quando vuoi disfartene o ha peccato; quando la sua pelle si sia coperta di croste e di minuti animali, le sue orecchie si siano sfrangiate e sanguinino, il suo naso sia sempre arido, ed esso si trascini dietro le zampe posteriori, abbandonate sul fianco, come una cosa morta; o quando la sua vista ti sia divenuta intollerabile — non affidare questo che fu tuo amico a mani straniere, neanche alle mani del tuo fratello; egli non lo conosce quanto te; non fare che senta di morire, serbagli l'ultimo rispetto e dàgli tu stesso la morte; chiamalo in un angolo del giardino, dàgli l'ultimo osso da rodere, accarezzagli il capo con una mano e, coll'altra, senza che se ne accorga.... Questo mi pare d'aver letto una volta.... Io stessa lo ucciderò, se così deve essere.... E ancora mi ricordo d'aver letto, tanto tempo fa, d'un contadino che ammazzava un viandante per rubargli l'orologio, e al momento di colpirlo gli diceva: Perdonami fratello.... Ah ah, è ridicolo, no? È ridicolo, intendo, che io ricordi ora queste cose.... Ma basta. Io, sì, colle mie mani: adesso so come.... Ma che cosa ho da piangere, sciocca che sono! E voi, ché state lì impalate? Anche tu piangi, povera sorella mia.... Ma basta ho detto. Su, accendete la luce, una luce forte, e accarezzatelo, baciatelo, salutatelo, e che soprattutto sia tranquillo! Su, muovetevi.... Ora, subito: ho pensato come, adesso vedrete.

— No subito... — piagnucolò Lilla. — Non possiamo aspettare a domani?

— Domani? perché domani? Sarebbe peggio — rispose Nena, ed uscì.

Di lì a poco chiamò le altre nella sua stanza e mostrò loro un lungo spillone da cappelli, uno di quegli oggetti che nelle famiglie perbene si tramandano di generazione in generazione. Era uno spillone d'antica foggia; d'oro, terminava da capo in una specie di trifoglio posto di sbieco, con incastrata in uno dei lobi una pietruzza vagamente rosata, non rubino però; acuminatissimo del resto, dato il suo uso.

— Ecco, con questo sarà fatto in un momento.

Ma ahimé, malgrado le loro precauzioni la scimia dové ugualmente avvedersi di qualche cosa. Quell'armeggio intanto non le presagiva nulla di buono. Avevano accesa la luce, chiusa la finestra, deposta la gabbia in terra per sgombrare il grande tavolo su cui stava di solito, e su cui doveva svolgersi l'operazione; liberato il prigioniero, gli avevano prima dato un buon boccone, uno dei suoi preferiti. E ora lo accarezzavano, Tombo, com'erano use talvolta, gli facevano il solletico alla pancia, al petto, là dove non aveva quasi vello, tenendolo rovesciato sul tavolo colle braccia aperte, pari al Caifas di Dante; lo chiamavano coi suoi più dolci nomignoli. Ma esso non sembrava lasciarsi ingannare e girava rapidamente lo sguardo, ora disperato ora supplichevole, dall'una all'altra delle due che lo tenevano, Lilla cioè e Bellonia; si lagnava forte, corrugava la fronte, voleva scrollarsi, rigirarsi, e, per merito sopratutto della seconda, non ci riusciva. Tentò persino di mordere a questa, da cui si sentiva più saldamente tenuto (ma anche perché delle due era la serva) una mano. E tuttavia si vedeva bene che non voleva dispiacerle mostrando di non gradire i loro giuochi, e che cercava di contenere il più possibile quelle manifestazioni del suo istinto; quasi non facesse loro responsabili del terrore e dello sgomento da cui si sentiva invaso. Malgrado poi le sue angosce, lo si indovinava intimamente abbandonato a discrezione; fiducioso persino, qualunque cosa dovesse venirgli da quelle volontà più forti della sua — com'è di tutti gli animali, e l'unica arma loro rimasta contro le umane malvagità. Ma forse, da ultimo, non immaginava che la sua situazione fosse tanto grave. A questo punto però Lilla non resse e, pretestando « una cosa di stomaco », lasciò presa; ella rimase nondimeno ad aggirarsi smarrita per la cucina.

E neppur fu cosa d'un momento, e Tombo sentì fin troppo di morire. Nena, reggendo la sua arma dietro la schiena, s'era avvicinata, e anche lei lo vezzeggiava e lo accarezzava colla mano libera. Poi si fece un rapido segno di croce; lo accarezzò ancora, tenendogli in pari tempo ferme le gambe — alle braccia pensava Bellonia. E d'un tratto vibrò il colpo. Ma, come si poteva del resto immaginare, lo spillone non seguì la via voluta: esso penetrò un poco più in alto o più in basso del cuore, o incontrò una costola. Convenne ripetere il colpo una, due, tre volte. S'era fatto un silenzio di tomba; che fu lacerato da un grido isterico di Lilla, una frase urlata precipitosamente, quasi fosse un'unica parola: — Mi pare di uccidere nostro fratello! — Zitta, stupida! — replicò Nena a denti stretti; e fu la prima e l'ultima volta che disse una cosa simile alla sorella.

Infine Tombo, che s'era dibattuto furiosamente, si spense; si spense la violenza dei suoi sussulti, si spensero i suoi occhi che all'ultimo istante esprimevano ormai solo una sgomenta meraviglia. Le ferite non davano sangue; ma un sottil filo di sangue colava dall'angolo della bocca.

Il giorno dipoi Nena fece fare una cassettina adatta a quel corpicciuolo, foderata di zinco come quelle dei cristiani, ve lo pose dentro e chiuse accuratamente. Dalla sera prima ella era ricaduta in una delle sue crisi di mutismo, e Lilla, se volle piangere Tombo, dové farlo quasi in segreto colla fante. L'altra annunciò solo che per i loro affari sarebbe stato bene avesse fatto una corsa al paese, e che si disponeva a partire l'indomani. Quella ragione aveva tutta l'apparenza d'un pretesto; comunque la zittella partì di buon mattino.

E laggiù, in un angolo del giardino annesso alla loro vecchia casa, fra le zolle che la primavera cominciava a spaccare, ai piedi d'un giovane noce che stava mettendo le prime foglie, seppellì Tombo con tutti gli onori.

Era una giornata dolce, c'era odore di salvia e chioccolio di galline dagli orti accanto; il sole principiava appena appena a scottare. Laggiù dunque mi auguro riposi ancora in pace l'eroe di questa storia.

CONCLUSIONE

Dei pochi personaggi qui incontrati chi, come Bellonia e monsignor Tostini, trascina ancora una decrepita vecchiezza; chi, come le due zittelle, è già morto. Pare impossibile, e forse lo è difatto, ma tale è la solita conclusione. Impercettibilmente piegandoci e raffreddandoci ci avviciniamo al nostro principio, cantò (o strise) il poeta. Infine non è da ora che ci saremmo abituati; non è questo un mondo dove capitano le cose impossibili, e direi solo quelle?

A padre Alessio fu tolta per lungo tempo la messa. Parrà forse poco, ma gli è che in quello stesso torno, all'epoca dico della sua bravata in casa delle zittelle, gli venne non so qual malattia di mente che dette un poco a temere pel suo senno, e in più un mal di fegato; sicché « li superiori » furono ben lieti di coglier l'occasione e di evitare maggiore scandalo. Perché poi egli medesimo non buttasse la tonaca alle ortiche, è altro discorso. Ma anche lui era nel frattempo invecchiato.

Il camposanto di T. non è lontano dal paese, né dalla polverosa strada carrozzabile. Ci si arriva anche per una scorciatoia ronchiuta e limitata di tratto

in tratto da bassi muri a secco, donde si intravedono
gli oliveti, i campi coltivati, le casette dei contadini.
Ma, o che in quel luogo l'orizzonte sia naturalmente
angusto, o chissà mai per quale altro motivo, non
si ha punto l'impressione d'essere in campagna, nella
vasta campagna del buon Dio. Intanto, prima di
prendere l'aperto, si passa dietro certe case sotto-
strada e coll'ingresso dalla parte opposta; poi, più
in su, la collina da un lato strapiomba sul cammino, e c'è persino un ulivo torto, traverso questo
proteso a un'altezza che bisogna badare di non pic-
chiarci del capo. E anche il frascato di là dalla
stretta valle è triste e pallido a un modo.

Dentro al cimitero, l'orizzonte è contrastato e
chiuso da grandi eucalitti coi tronchi lucenti e di-
squamati, che sempre paiono in morboso sudore; e
dal muro di cinta quasi in rovina. Solo, da una parte,
si mostra la groppa arida e azzurrina d'una montagna. Su questi eucalitti e sui cipressi, loro ingenui
vicini, si posa talvolta e zipila un tordo agitato o
un più calmo merlo; ma vivono colà e starnacchiano
per tutto l'anno le gazze. Malinconico popolo! Af-
flitte da non so che ipocondria e indolenza naturali,
volano ed emettono il loro verso come tutti gli altri
uccelli; ma se gracidano, un gracidio breve e fluido
di consonanti sonore, lo fanno in un tono stanco e
senza speranza; e se volano, è un volo cadente,
ripreso a fatica quando sta per precipitare. Rasso-
migliano stranamente, voglio dire soprattutto per via
di quel verso ronzante, a uno che attraversi una via

di città nelle ore canicolari. In generale, poi, non sembrano intendersela con nessun altro uccello. E quando, chissà come, su un degli alberi capita una vivace pica, le sue strida risuonano pari a quelle d'un bimbo in una casa vuota o colpita dalla sventura, e l'aria medesima d'un tal mondo sonnolento n'è scossa. Ma, giusto, una beffarda ed esuberante pica non può trovar simpatia presso un'accolta di gazze; e così quella se ne ritorna presto ai campi seminati, alle querce, ai meli.

Qui appunto son sepolte le due zittelle, di cui anche spero che riposino in pace. E a chi guardi attorno pare, insomma, che su ogni cosa si sia deposta un'impalpabile polverina grigia.

1939

NOTA

Trovo fra le mie carte questo frettoloso appunto di mano femminile; che, come può testimoniare l'illustre Giansiro Ferrata di Milano, non è una volgare contraffazione.

« La (*aggiunto*) scimia si toglie il collare apre la gabbia si arrampica da una grondaia entra da una vetrata in una cappella delle monache (che confinano con il giardino — mangiava le ostie e beveva il vino che trovava sul (*sic*) altare, poi ritornava nella gabbia e si metteva il collare (.) le monache molto spaventate vedendo entrare un essere dalla finestra hanno gridato e fatto un gran tafferuglio. Poi visto che era una scimia hanno fatto un'inchiesta nel vicinato — finalmente saputo che il padrone era il dottor X. andarono a lagnarsi con lui. Il quale giurò che la scimia era sempre stata legata e chiusa come tutt'ora (*sic*) potevano constatare le monache stesse. Infatti la scimia era così furba che sceglieva il momento opportuno che nessuno la vedeva (*poco chiaro; o*: vedesse). Da quel momento si seppe che i biscotti che mancavano sempre alla padrona, erano regolarmente... (*indec.; forse*: rubati) dalla scimia. (*Linea trasversale sul foglio; più sotto*: donna imbalsamata. *Ma questo secondo appunto è privo forse di relazione col primo*) ».

Il fatto potrebbe essere avvenuto a Firenze. Prego intanto il lettore di ammirare in questo scritto la vivace e libera temporazione, il più libero uso dei simboli tipografici, il disprezzo della punteggiatura tradizionale; le quali particolarità non poco concorrono a un effetto che invano si ricercherebbe da molti baccalari. Ah, voglio anch'io esclamare, se i letterati abbandonassero un po' dei loro pregiudizi! Senza poi contare il principale vantaggio:

che, se anche un po' meno patetica, la storia si presenta qui di gran lunga più concisa.

Ma la ragione che mi indusse a riportare questo appunto è sopratutto il desiderio di giustificare la forma « scimia » da me adottata invece della più comune. Onde, per compenso forse, mi venne l'altra di « zittella »; per compenso e quasi (direi) « zittella » potesse esser diminutivo di « zitta », anziché di « zita ».

OTTAVIO DI SAINT-VINCENT

Ὁρῶ γὰρ ἡμᾶς οὐδὲν ὄντας ἄλλο πλὴν
εἴδωλ' ὅσοιπερ ζῶμεν ἢ κούφην σκιὰν

I

Parigi taceva, a quell'ora notturna. Un giovane veniva innanzi passo passo per una strada qualunque, soffermandosi ogni poco.

«Ahimè, — pensava il giovane Ottavio di Saint-Vincent — ahimè che io son davvero giunto allo stremo: è tempo di prendere una decisione. Bravo, e quale? Porre fine ai propri giorni o, dicendolo più volgarmente, uccidersi? Eh sì, uccidersi, oppure... Non c'è oppure che tenga, o almeno nessun oppure è da prendere in considerazione. Diavolo, uccidersi nel fiore dell'età, punto sgraziato della persona e neanche, al postutto, sciocco più del necessario? Uccidersi ancora così ricco di speranze? Ah no, ecco dove il tristo esercizio della poesia d'occasione mi tradisce: le speranze sono invece cadute ad una ad una fino all'ultima. E nondimeno pare io sia tale che, se anche tutte le speranze mi abbandonano, mi rimanga pur sempre la speranza. Insomma, senza voler dibattere questo punto, uccidermi non mi andrebbe; ma mi si mostri un'altra soluzione. Ah, se soltanto potessi... se soltanto qualcuno o qualcosa.... A che serve fantasticare? Vediamo piuttosto per ordine. Chi sono io? In primo luogo il misero dei miseri; misero non già nel senso di noi poeti, ma proprio di scarsella. Il mio vecchio padre laggiù, col suo moccichino di terra e il suo crollante castelluccio, è troppo se non muore da sé solo; non può certo sostenermi in società, e neppure nella vita. Poco importa dunque se sotto Luigi il Buono i miei maggiori.... Sono un poeta, è vero, ma anzi il guaio è tutto qui: questa funesta propensione della poesia mi ha impedito e sempre mi impedirà di fare quel che tutti gli altri fanno, di aprirmi, come dicono, un cammino sicuro. Né è da credere che i miei versi possano solo sfamarmi: ho un bel celebrare in forbiti alessandrini i matrimoni dei grandi, da tempo codesti grandi hanno cessato o di sposarsi o di far limosine ai poeti.... Ma poi bisogna bene che almeno con me stesso io sia sincero: e la noia? Forse è dessa appunto che mi toglie le forze e mi fa apparir tutto vano. Son io sicuro per esempio che se qualcuno o qualcosa eccetera, saprei approfittarne? No perdio. Eh, non par cosa assurda che un povero, uno la cui vita è un'incessante lotta per non morire di fame, si annoi? Eppure! Non è da ora che io vivo in una perenne attesa, di che non so; ma senza dubbio di cosa che non verrà mai. E dunque tanto varrebbe... il ponte è qui a due passi e l'oscura Senna, che con gelida medicina spenge le agitazioni del sangue e placa i gridi del terrore, del dolore, della passione, del tedio, e i crampi della fame,

non mi negherà, essa almeno, il suo conforto.... Ed
eccomi ripartito. Ma no e ancora una volta no:
pel momento e malgrado ogni cosa uccidermi non
mi va a sangue. Pazientiamo appena un poco; chissà,
ho come un presentimento che domattina, che questa notte stessa forse... beh, che potrò se non altro
sfamarmi ».

* *

Era il nostro Ottavio circa a questo punto delle
sue riflessioni, quando fu raggiunto da melodiosa
voce femminile e da altra assai men tale, che parevano cader dall'alto e di non molto lontano; sebbene
le parole non risultassero distinte, alcunché della
prima forzò il giovane a farsi innanzi. Tra due
dimore signorili o tra due ali della medesima dimora era, poco oltre, un giardino pensile con terrazzo sulla strada: di lì appunto venivano le voci.
Ottavio strisciò dunque nel buio fin sotto al terrazzo e poté chiaramente udire ciò che si diceva.
— Mio caro principe, — cantava ora la voce
femminile, gonfia di riso e con leggero accento
straniero — mio caro principe, che dite mai? Se
soltanto conosceste lo stato dell'animo mio! Ah
no ah no, che mai più io vi oda parlare come
avete fatto.
— Ma, duchessa, — rispondeva una chioccia
voce maschile — il mio cuore....

— Il vostro cuore, Signore? Ah, sappiate che il mio è di ghiaccio e che nulla al mondo ormai potrà sciogliere questo ghiaccio. Vi sorprenderebbe forse? Le donne del mio paese, o Signore, non amano che una volta; senza contare che il ghiaccio è il loro proprio elemento.

— Ah duchessa, dovrò io dunque...?

— Sì dovrete per la buona amicizia che ci lega e perché io non debba chiudervi la mia porta.

— Oh Signora, voi spezzate, voi, diciamo meglio, infrangete....

— Io non infrango che le pretese della galanteria.

— Ma no, credetemi....

— Volete, principe, che questo colloquio abbia termine?

— Oh no.

— Dunque cessate i vostri lamenti. Vi confiderò invece che, se ho il cuore di ghiaccio, ciò si deve in buona parte alla mia stessa condizione, dai più invidiata. Io sono stracca, non oso quasi confessarlo per tema del celeste castigo, di queste dovizie, di queste pompe, di questi successi. Io, principe, mi annoio. Sì, mi annoio.

— Voi annoiarvi, ai cui piedi sono i più bei nomi di Francia in attesa di un vostro cenno!

— Perciò appunto, forse, mi annoio. Vedete, da qualche tempo strane fantasie mi assediano. Son come in attesa: di che dunque? E, così oziosamente, vado immaginando cose.... Volete per la più corta conoscere la mia ultima fantasia?

— Oh sì, tutte le vostre fantasie.

— Tutte sarebbe troppo. Ma ascoltate: mi piacerebbe... mi piacerebbe elevare qualcuno, che so un giovane povero, un uomo disperato, a una condizione pari alla mia, anzi alla mia medesima; del trapasso però egli non dovrebbe avvedersi. In particolare immagino di trovarlo una notte sul mio cammino, quest'uomo, ubriaco, addormentato, incosciente, e di raccoglierlo ed accoglierlo qui: sì che al mattino si svegliasse padrone per un tempo di tutto quanto vede, delle mie sostanze, della mia stessa persona.

— Della vostra persona!

— Non mi interrompete. Sì, in qualche modo anche della mia persona. E naturalmente i miei servi riceverebbero le necessarie istruzioni, ché egli dovrebbe esser tenuto per duca e per mio sposo. Inoltre....

— Oh imprudente fantasia. E cosa vorreste farne, in seguito, di costui? E non lo fareste comunque più infelice? poiché dovreste bene, tosto o tardi, riporlo lì donde lo aveste preso.

— Ma... io forse vorrei soltanto divertirmi, fosse pur breve il divertimento. E per l'infelicità, potrei anzi giovargli, mostrandogli il vero volto della grandezza.

— L'illusione! Un plebeo provare di tali generosi sentimenti?

— Ma non ho parlato positivamente di plebei. Sebbene....

— Guà guà, strano progetto o, diciamo meglio, strana fantasia.

— C'era da scommetterlo che vi sarebbe parsa strana: in fede mia, Signore, che cosa a voi non pare strano?

— Guà guà.

— Eh sì. Ma ve lo figurate un tal miserabile, un tal reietto, un tal diseredato dalla sorte, che riapra gli occhi in questo palazzo? cui tutti diano di Vostra Grazia; che, per cominciare, mangi a sazietà dei cibi più squisiti, che possa disporre di ogni cosa? che, credendosi dapprima trasportato per virtù magica in un modo fiabesco, a poco a poco perda la memoria e fino il sospetto del suo precedente stato?

— Ma poi, ma poi?

— Signore, non mi interrogate: non so nulla e in fondo fo tanto per dire.

— Guà guà.

— Sta bene. Ma, per passare ad altro: l'ora è tarda, tra non molto sarà l'alba?

— 'E risica.

— Dunque che ne direste di una cavalcata al Bosco?

— Una cavalcata a quest'ora?

— E perché no, Signore? Il tempo del mattino, cosa dite nel vostro paese che ha in bocca?

— L'oro. Ma....

— Ebbene, che di meglio dell'oro? Non la pensate così?

— Senza dubbio! Cioè no, assai di più conta l'amore.

— Quello che vi indurrà ad accompagnarmi. Darò ordine di sellare i cavalli.

— Ma riflettete.

— Riflettere per tanto poco? Vi avverto del resto che se non volete accompagnarmi andrò da sola.

E qui l'animosa donna si ritirò dal terrazzo traendosi dietro il suo cavaliere; le loro voci si persero nell'interno del palazzo.

* * *

Ottavio aveva ascoltato avidamente il riferito colloquio e ora si guardava febbrilmente attorno, mentre già nella corte del palazzo si udiva il rimestare degli stallieri che apprestavano i cavalli sopra detti. Il fatto è che durante il corso di quel colloquio al giovane era venuta un'idea luminosa. Ma idea senza azione poco conta: già già stridevano i pesanti chiavistelli della porta carraia, un assonnato lacchè con lanterna ne spingeva i battenti, e Ottavio non aveva ancora concluso nulla. Quando un'altra voce, rauca questa e sgraziata oltremodo, si fece udire da presso.

La voce cantava strofette oscene, tenendole bordone un disordinato rumor di passi; e in breve dal fondo d'una viuzza si vide avanzare, lacero sudicio briaco e barcollante, un di quei miserabili vagabondi di cui Parigi allora abbondava. Ottavio lo guardò con viso di repente rischiarato, come vedesse il suo salvatore, e, poiché non c'era un minuto da perdere, corse a quella volta.

— Buon uomo, ascoltatemi in fretta.

— Macché buono — barbugliò l'ubriaco con fare minaccioso.

— Insomma amico, odi il mercato che ti propongo. I tuoi abiti, per così chiamarli, non valgono nulla; i miei, beh, sono ancora passabili, vedi? Scambiamoli, purché ti decida subito.

— Ah, oh! a me un giustacuore di velluto? Ah ah ah! — rise l'ubriaco superando o dimenticando il proprio stupore.

— Non c'è da ridere né da gracchiare. Accetti o non accetti? E se non accetti io....

— Ma se voi foste un poco di buono e voleste con ciò...? — disse quello, che il tono risoluto di Ottavio aveva fatto per un momento tornare in sé.

— Al diavolo i tuoi ragionamenti. Non c'è da tentennare e non c'è da indugiare un istante. Vieni qui dietro e spogliati alla svelta. Anch'io mi spoglio, guarda.

— « M'ha detto la Ninetta... » — rintonò l'ubriaco rinunciando a capire e obbedendo rassegnatamente.

— Così va bene: più presto, più presto! Eccoti

il giustacuore e tutto.... Oh, ci siamo. Ma aspetta, dannato ubriacone, passami ora le tue manacce sudice sul volto; in su e in giù; più forte, che diamine!

— Io, io....

— Più forte ti dico, e arruffami ben bene i capelli. Oh Dio, ma non hai nulla di più sudicio delle mani?

— Ehm, forse i piedi — balbettò l'ubriaco ormai intimidito.

— Giù allora coi piedi: qua qua, presto! Io mi inginocchio, e tu.... Puah che roba: è proprio quello che ci vuole. Una vera fortuna: hai camminato sul carbone o sei proprio carbonaio?

— Io....

— Non me ne importa niente. Via, spero proprio che così vada bene. Addio.

— A... a....

L'ubriaco scrollò le spalle e, colla piuma del cappello di traverso e le brache calate a soffietto, si allontanò riprendendo la sua canzonaccia; mentre il nostro Ottavio tornava in furia davanti al palazzo della duchessa. Il lacchè colla lanterna era momentaneamente rientrato. « Dove sarà meglio che mi metta? Qui o là? Qui potrebbe non vedermi... ». Infine si decise per un posto dove i due cavalcatori avrebbero dovuto senza meno passare, si buttò scompostamente a terra, si dette un'altra arruffata ai capelli e finse di ronfare.

* * * *

Appena a tempo, ché in quella la giovane duchessa compariva sulla porta carraia in groppa al suo roano; dietro a lei su altro cavallo si intravvedeva il basso e tarchiato principotto, di mezza età, con aria tra sdegnosa, paurosa e disgustata. Due lacchè schiarivano la via.

La duchessa partì al passo; Ottavio ronfò più forte. La duchessa lo udì e scorse.

— Oh oh, — diss'ella — che cosa è questo? Venite, principe: chi è costui?

— Come volete che lo sappia? Un vagabondo, un ubriacone.

— Ah no, non ve la caverete così a buon mercato. Scendete.

— Scendere, e perché?

— Desidero che osserviate quest'individuo.

— Ma lasciate, non è da voi.

— Scenderò dunque io stessa.

— Oh donne! — sospirò il principe scendendo da cavallo. — Ve lo avevo detto: non è che un ubriacone, un pezzente ubriaco.

— Non basta, provate a scuoterlo.

— Non sente nulla — disse il principe dopo aver allungato timidamente un piede.

— Davvero?

— Lo vedete da voi stessa — e il principe riallungò il piede.

— Richiamate, vi prego, i miei lacchè; che portino luce — disse la duchessa bruscamente.

— Ma che volete fare?

— Andate in fretta.

Il principe andò a picchiare col pugno alla porta appena chiusa; uscirono i lacchè colle lanterne.

— E ora — riprese la duchessa — voi tutti provate daccapo a scuoterlo, a chiamarlo; fate ciò che vi pare, gridate, tempestate. Desidero insomma conoscere fino a che punto quest'uomo sia ubriaco, se poi è ubriaco.

Stavolta Ottavio fu scosso brutalmente ed ebbe le orecchie intronate.

— Eh sì, — disse infine un lacchè — se a Vostra Grazia non dispiace, quest'uomo non sente nulla perché è ubriaco fradicio.

— E non può essere che ubriaco, giacché respira regolarmente: Vostra Grazia può udirlo — soggiunse il secondo.

— Mi sembra che non ci sia altro da fare qui — intervenne il principe.

— Al contrario! Ma non capite, Signore, che è il cielo a mandarmi quest'uomo? Voi due, portatelo dentro. Io stessa rientrerò con voi: sia sul momento svegliato il maggiordomo.

— Ma.... Guà guà!

— Tacete, Signore, e seguitemi se volete. Anzi

seguitemi senz'altro: voi dovrete promettermi sull'onore....

Ottavio, s'intende, faceva il morto più che mai. Sentì in seguito parlottare, sentì che lo spogliavano, lo pulivano quel poco che era possibile senza rischiare di svegliarlo e lo ponevano a giacere. E qui avrebbe voluto dire: « Giacché son destinato a esser duca, datemi almeno un piccolo anticipo, cioè una buona minestra ». Ma si contenne e invece si addormentò davvero e profondamente.

II

*

Lo strattagemma del giovane era dunque riuscito appieno; ma ora la sua posizione era complicata dal fatto che lui sapeva come stavano le cose, ossia che gli sarebbe toccato recitare la difficile commedia di chi si meraviglia di tutto, e in generale non dare a divedere che sapeva. Quanto al fingere di credersi duca fin dal primo momento, che sarebbe stato il più semplice e insieme lo avrebbe vendicato di quella duchessa la quale si faceva trastullo delle miserie altrui, dovette respingerne la tentazione perché gli parve troppo pericoloso: avrebbero appunto potuto sospettarlo di inganno e metterlo bellamente alla porta.

Queste cose Ottavio deliberò rapidamente al mattino, ovvero verso il mezzodì, quando fu svegliato da un grave personaggio vestito di scuro con catena d'argento al collo. Costui, entrato pure con fracasso, sembrava ora studiarsi di evitare ogni voce molesta e ai tre valletti o camerieri in livrea che lo avevano accompagnato dava ordini con un discreto batter delle mani. Così, a suon di battute, quelli prima tirarono i tendaggi del baldacchino, poi le tende delle finestre, poi fecero ancora qualcosa e infine vennero ad allinearsi a piè del letto scambiandosi occhiate e trattenendo a fatica il riso.

Investito e quasi accecato dalla luce, Ottavio balzò a sedere con ben simulato sussulto, guardò attorno imbambolato per quella specie di piazza d'armi, osservò con ostentata meraviglia la propria camicia di seta, i pizzi e broccati del letto, e balbettò:

— È mai possibile!... Do... dove sono?

— Nella camera da letto di Vostra Grazia — rispose tranquillamente e untuosamente il maggiordomo, anche lui con accento straniero.

— Nella camera da... e chi è Vostra Grazia?

— Vostra Grazia è Vostra Grazia — rispose il maggiordomo accompagnando il detto con rispettoso e indubbio gesto.

— Io Vostra Grazia, cioè Mia Grazia, cioè... non so neppure come diamine si dica? — ché al nostro Ottavio un po' di volgarità non era parsa disdicevole.

— Eh sì, se a Vostra Grazia non dispiace.

— Io, il più miserabile e il più disgraziato dei mortali! Ohimè che io son preda di qualche maligno sortilegio, o di malvagi che vogliano farmi vieppiù sentire la gravezza della mia condizione! Vi prego, Signore, cessate da questa beffa crudele.

— Vostra Grazia è soltanto preda, con tutto il rispetto, d'una leggera confusione di idee: il vino di Sciampagna, se Vostra Grazia non trova inopportuna l'osservazione, sortisce talvolta di codesti effetti.

— Il vino di Sciampagna, che non ho mai bevuto in tutta la mia infelice vita! — Ottavio si prese ad ogni modo la testa tra le mani e si passò due dita sulla fronte come chi cerchi di ricordare qualcosa. — E tutta questa roba?

— Appartiene a Vostra Grazia.

— E costoro chi sono?

— I camerieri personali di Vostra Grazia.

— I miei camerieri... E... e chi li paga? — Altra o più congrua domanda sul momento non era al giovane sovvenuta; ma in fondo questa poteva andare, se i quattrini son la costante preoccupazione dei poveri.

— Li pago io.

— Ah.

— Sì, ma col denaro di Vostra Grazia.

— Il mio denaro!... E che cosa fanno lì?

— Attendono gli ordini di Vostra Grazia.

— Ebbene, di altro ora come ora non voglio sapere: beffa sortilegio o diavoleria, mi si porti da mangiare. — Ma Ottavio aveva sbagliato i suoi calcoli: quel felice momento non era ancor venuto.

— Da mangiare! Vostra Grazia ha detto proprio: da mangiare?

— Eh... sì, è quello che ho detto.

— Ahimè dunque, devo comunicare a Vostra Grazia che io son legato.

— Che vuol dire?

— Che devo opporre alla richiesta un fermo rifiuto.

— Eh, come? Che c'è, le Vostre Grazie, le Loro dannate Grazie non mangiano?

— Gli è che il medico personale di Vostra Grazia, viste le condizioni della Medesima iersera, ha raccomandato di non somministrarLe cibo fino a suo nuovo avviso.

Doveva essere una piccola ed autentica crudeltà della duchessa, che forse in quel momento stava usolando di dietro a qualche porta.

— Oh questa sì che è bella! — disse il giovane turbandosi davvero e dimenticando la sua parte. — Ma io sto benone e mi sentirei forte come un toro, non fosse pel gran vuoto che ho nello stomaco. Chiunque voi siate, portatemi da mangiare.

— Prego Vostra Grazia di non insistere.

— Ma come! E dov'è questo maledetto medico?

— L'illustre medico di Vostra Grazia sarà qui ben presto. Nel frattempo oso proporre a Vostra Grazia, e in coscienza non dovrei, un leggerissimo tè del Suo paese.

Leggerissimo, anche: ma pel momento non c'era da imporsi, e Ottavio fece buon viso al tè recatogli da un cameriere. Poi, tanto per capire qualcosa di più e sapersi regolare, riprese l'interrotto colloquio.

— Avete parlato del mio paese: quale sarebbe?

— Fino a tal punto facetamente afferma Sua Grazia di avere smemorato: fino al punto di non conoscere Se Stessa! — E il maggiordomo rise con-

tegnosamente per rifarsi subito serio, imitato con
minore eleganza dai servi, che approfittarono del-
l'occasione e dettero sfogo alla repressa ilarità.

— Nessuno conosce se stesso, e io, siatene certo,
meno degli altri.

— Dovrò dunque rammentare a Vostra Grazia
fino il Suo nome?

— Lo dovete.

— Vostra Grazia è il duca di Lzegherzogstvo.

— Come avete detto?

— Ho detto....

— È inutile, un tal nome lo direte sempre voi
per me, ché io non giungerò mai a pronunciarlo.
E chi è codesto duca?

— È, cioè Vostra Grazia è, un gran signore moscovita, imparentato collo Zar di tutte le Russie.

— Intendo, ma rammentatemi qualcos'altro.

— Vostra Grazia è padrone di vaste terre. Ella
possiede non meno di quattromila anime.

— Anime?

— E, beninteso, corpi.

— Dunque io sono un gran signore russo. E
che cosa faccio a Parigi?

— È presto detto: nulla.

— E come mai non so una parola della mia
lingua?

— Vostra Grazia si dia pace: essa tornerà con
tutto il resto non appena sia cessato l'effetto del
vino di Sciampagna.

— Ah. E chi sono i miei amici di Parigi?

— La Corte tutta, e lo stesso re di Francia.

— Già, naturale. Ma, a proposito di corpi, e le amiche?

— Le amiche?

— Sì, che c'è di strano? Ne avrò pure, e tra le altre una di tutte più amica, che per avventura non mi spiacerebbe venisse sull'atto a consolarmi della mia smemoratezza.

— Un'amica! Con tutto il rispetto Vostra Grazia mi fa inorridire.

— Ma perché?

— Dimentica Vostra Grazia di esser coniugata?

— Son coniugato! E dov'è mia moglie?

— Sua Grazia la duchessa è nei suoi appartamenti.

— Posso vedere subito almeno lei?

— Sua Grazia la duchessa riposa.

— Bene, bene.... E ora che mi avete così illuminato sulle mie grandezze, rigettatemi o Signore nel fango donde, non so come, mi avete tratto! Su, su, non siete ancora pago di beffare questo infelice? Vi scongiuro, Signore, lasciatemi andare per il mio tristo cammino senza più incrudelire!

— Vostra Grazia dà in ismanie daccapo: che sia necessario cavarLe sangue?

All'idea che, per sostenere la loro bassa farsa, quei truculenti moscoviti potrebbero perfino essere capaci di cavar sangue a un poverino che per ogni segno non mangiava da due giorni, Ottavio abbrividì. Del resto la prima e più importante scena di quella farsa, benché (come si è veduto) tanto grossolanamente e buffonescamente recitata da ambe le parti, poteva considerarsi alla men peggio conchiusa; sicché il giovane finì col dire soltanto:

— Chiunque io mi sia, lasciatemi riflettere e riposare... fino all'ora del pranzo.

— Ah no, — esclamò per contro quel feroce — che devo invece pregare Vostra Grazia di procedere alle proprie abluzioni.

Volente o nolente il nostro Ottavio (che non ignorava la virtù debilitante della pulizia) dovette denudarsi davanti a tutti e, coll'assistenza dei tre malandrini che ormai quasi apertamente sghignazzavano, bagnarsi, fregarsi, impomatarsi, quindi rivestirsi curialmente, fin che il poeta vagabondo della sera innanzi e il pitocco della notte non generassero un perfetto damerino.

Sul tardi, dopo la visita d'un barbuto che gli tastò il polso, gli fu concesso un brodino con poco più. Poi egli, ma nelle sue stanze col pretesto che aveva bisogno di riposo, fu abbandonato a se medesimo, e come passasse il resto del giorno, per quante meraviglie passasse e quali perplessità lo assalissero, non staremo a riferire.

* *

Verso sera, la solita deputazione di famigli venne a mutargli l'abito e ad infioccarlo come per una sagra: c'era pranzo di gala. E senza por tempo in mezzo il maggiordomo, che stavolta recava catena d'oro e lungo bastone (di cui si valse per annunciarlo solennemente) lo accompagnò in un salone dove gentiluomini e dame stavano variamente aggruppati. E dove, vinto appena l'abbagliamento di quella gran luminaria, Ottavio restò poco meno abbagliato da una dama bionda che, ritta e circondata da gentildonne, lo fissava tra maliziosa e invitante; la quale altri non era che la duchessa.

— Vada Sua Grazia a salutare Sua Grazia la di Lei consorte — sussurrò complicatamente il maggiordomo con leggero tocco al gomito del giovane; e si ritirò. Ottavio rimase lì in mezzo alla sala, con tutti quegli sguardi appuntati addosso; ma già la duchessa gli moveva incontro.

— Vostra Grazia è Ella rimessa dalla Sua lieve indisposizione?

— Oh sì, oh sì.... Vi ringrazio Signora — riuscì appena a balbettare Ottavio.

È infatti da recarsi a mente che egli non aveva, si può dire, ancor mai veduto la duchessa. La sera prima, mentre ronfava sul lastrico, le aveva bensì dato una sbirciata strizzando le palpebre, e ne aveva tratto l'impressione di una grande bellezza; ma altra cosa era, adesso, vedersi a un palmo dal proprio quel visino delicato, quegli occhi d'un azzurro cupo e non privi di benevolenza, quell'aristocratico nasino, quella bocca... quella bocca infine.

— Voglio sperare che i cibi questa sera apprestati non siano per riuscire pregiudizievoli alla salute di Vostra Grazia — seguitava la duchessa.

— Vostra Grazia mi fa troppo onore a occuparsi con tanta sollecitudine della mia salute.

— Non meno deve a Vostra Grazia e a se stessa un'amorosa consorte. Ma voi, Signore, non conoscete forse ancora il nostro cugino di... e Sua Eccellenza il principe di... e il marchese di... e il conte di....

Finite le presentazioni, si passò nella sfolgorante sala da pranzo. Durante il qual pranzo, sulle prime tutti tacquero, osservando Ottavio ed aspettandosene chissà qual divertimento. Ma il guaio è che le poche parole scambiate colla duchessa erano bastate a liberare in lui quel certo suo senso poetico o almeno decorativo. In fondo questa raffinatezza, questa bellezza, e soprattutto questo linguaggio, non erano ciò che egli aveva sempre sognato? non erano, per così dire, il suo clima naturale? Sicché egli, quasi senza avvedersene, rispondeva con dignità e non senza eleganza alle domande che gli venivano rivolte, di nulla si mostrava soverchiamente meravigliato, e neppure giungeva a mangiare da tanghero affamato, come senza dubbio quella gente si attendevano che facesse. Disposizione nondimeno pericolosa, se tutti rischiava di deludere. Inoltre il giovane non era ben sicuro di come dovesse trattare la propria supposta consorte, se tuttavia coll'aria peritosa di chi non si raccapezza o come ormai convinto della propria parte, dunque con una certa familiarità; e in generale non sapeva bene che cosa si volesse da lui. Al che si può aggiungere la sua reale ignoranza di alcuni usi di società, di terminologie appellativi eccetera; che peraltro in parte compensava le precedenti eccezioni. Tutto sommato l'affannoso dibattito interiore del giovane era ozioso, ché per un verso o per l'altro egli doveva apparire assai più buffo di quanto non pensasse. Del resto, di ciò essendosi avvedute perfino quelle aristocratiche mummie ed essendo passate all'attacco, ben presto lo forzarono nelle sue decisioni.

— Odo che Vostra Grazia è giusto di ritorno da un lungo giro nelle Sue vaste terre e in quelle di Sua Grazia la duchessa: che nuove ce ne reca e ci reca di Moscovia? — disse un tal marchese ammiccando quasi palesemente alla compagnia e credendosi argutissimo.

Qui evidentemente bisognava o rispondere: « Sono un pover'uomo e non ho terre », o farla senza più da duca e da consorte. Il giovane scelse coraggiosamente la seconda, e la sua condotta se ne trovò ormai determinata.

— Eh marchese, che nuove volete che rechi! Quanto posso dirvi è che non solo le nostre rendite, le nostre mia cara, si assottigliano paurosamente, ma la nostra stessa posizione è notevolmente indebolita. La plebaglia, o Signori, preme d'ogni parte e non andrà molto che noi dovremo con essa patteggiare. A mio senso nostro cugino lo Zar non mostra bastante fermezza con ciò che chiamano il popolo.

Vi fu un silenzio: alcuni forse pensavano che la risposta del giovane fosse fin troppo sensata.

— Ma tre giorni addietro Vostra Grazia era già di ritorno tra noi: — disse con voce stridula una contessa — perché dunque non fu veduta al Castello la sera della festa, o son io che non ebbi il bene di vederLa?

— Vi confesserò, Signora, senza in nulla voler mancare di rispetto al vostro beneamato sovrano, che le feste a Versaglia mi affaticano: vi conviene troppo grande moltitudine e, se mi è permesso il dirlo, non tutta della medesima qualità.

— Avete proprio ragione — saltò su bruscamente una vecchia incartapecorita.

— Senza dubbio, — riprese la contessa — quando si porta il nome di Vostra Grazia (quel nome appunto che Ottavio non riusciva in nessuna maniera a ricordare) si ha il diritto di mostrarsi difficili nella scelta della compagnia.

— Non è questo, Signora: chicchessia avrebbe il diritto di mostrarsi difficile, intendo chicchessia di noi gentiluomini. Considerate, se vi piace, l'invadenza di quella classe che qui dicono il terzo stato. Nientemeno, il terzo stato: e che ci vuol esso un tale stato? Considerate altresì, per riguardo alla radice della nostra e vera, l'origine della nobiltà qui detta di toga. La bella e accorta denominanza: può dunque darsi una nobiltà che non sia di spada ovvero di sangue! Pure, codeste false nobiltà e codesti stati, dei quali non convien dimenticare il più sordido, dico il plebeo, pretenderebbero dirigere la vita pubblica francese o moscovita. Credetemi o Signori, tutto viene dall'innobilire, che i monarchi fanno, i villani appena ripuliti e da ciò che una parte delle nostre legittime ricchezze si tollera passi nelle mani di astuti ribaldi.

— Parole sante le vostre — ridisse la medesima vecchia.

— La Dio mercé — biasciò beffeggiando altra vecchia — Vostra Grazia è da natura e da condizione posta al disopra di tali dispute.

Il pranzo seguitò su questo tono, e con questo strafare di Ottavio, di argomento in altro, ma con continui richiami alle sue grandezze, alle sue parentele aristocratiche e regali, alla sua vita mondana. D'altronde quegli oziosi dovettero essi stessi ben presto convincersi che quella beffa, la quale pareva promettere irresistibile allegria, offriva in realtà un numero limitatissimo di combinazioni.

A tali scherzi grossolani la duchessa non si univa quasi mai e invece sembrava osservare attentamente il giovane. Si parlò perfino, Dio sa in quali termini, di poesia, e la sua attenzione radoppiò. Sotto quello sguardo in fondo serio il nostro Ottavio non riusciva a serbare un contegno; arrischiò finalmente:

— Mia cara, siete davvero incantevole stasera.

— Oh! Si direbbe sia la prima volta che mi vedete.

— Ogniqualvolta vi si veda è la prima.

— Grazie, ma non pensate che le vostre effusioni coniugali debbano riuscire imbarazzanti pei nostri ospiti?

« Tuttavia bisognerà al più presto parlarle un po' meglio », si disse egli ormai lanciato.

Altre due persone osservavano Ottavio con uguale seppur diversa attenzione. La prima era il giovane tozzo, di fronte bassa ed ispidi capelli, che la duchessa gli aveva presentato come cugino; la seconda un principe che chiamavano anche, e sempre per disteso, Ludovico Francesco, forse il medesimo che Ottavio aveva udito parlare sul terrazzo la sera innanzi. Tale o non tale, che costui fosse innamorato cotto della padrona di casa non occorreva molto acume per capirlo; o almeno, sarebbe bisognato esser ciechi per non vedere tanti ostentati segni di devozione. Ma di coloro il nostro eroe non si dette alcun pensiero: ben altro aveva pel capo.

* * *

Il lungo pranzo finì e tutti si levarono per passare in altra sala. Ottavio accompagnava la duchessa.

— Signora, è assolutamente necessario che io vi parli questa sera medesima.

— Assolutamente necessario, Signore? E che cosa vorreste dirmi, di grazia?

— Oh, cessate da tutte codeste grazie e vostre grazie! Sapete bene che cosa ho da dirvi.

— Vostra Grazia stia attenta: ci osservano e ci odono.

— E che perciò? Davanti al mondo intero, non mi sarebbe gravoso confessare....

— Peraltro mi avete chiesto un colloquio particolare.

— Sì... sì, avete ragione: come parlare qui!

— Accennate almeno all'argomento che vi sta a cuore.

— L'argomento? Voi mi provocate. Giacché dunque lo volete, l'argomento e non già il discorso è presto esaurito: non mi è mai avvenuto di incontrare beltà e grazia pari alle vostre.

— Badate, voi fate uso di parola che avete or ora respinta. E dimenticate che siete il mio sposo.

La duchessa si allontanò sorridente, non parendo offesa dell'aggressione di Ottavio; si avvicinò invece colui che chiameremo il Cugino, con aria beffarda e barbaro francese.

— Vostra Grazia ha poco fa toccato di una sensibile diminuzione delle Sue rendite.

— È vero.

— Sarebbe egli mai possibile che Vostra Grazia si trovasse in difficoltà?

— Bah Signore, voi sapete che in ogni modo le nostre difficoltà non sono quelle di altri.

— Ciò è innegabile: vi hanno difficoltà comportevoli e difficoltà estreme — approvò il Cugino fissando stranamente Ottavio.

— Ma infine, se non è troppo chiedere, — disse questi perplesso — in qual modo la cosa vi riguarda?

— Semplice interesse. Gli è che anch'io la intendo come Vostra Grazia: il denaro è proprio quello che più importa.

— E quando mai, Signore, ho io manifestato una tale veduta?

— Già già, è vero — ghignò quello ritirandosi.

Altra gente si venne avvicinando, e intrattenendo più o meno lungamente; mentre di poco in poco il principe Ludovico Francesco passava fin quasi a sfiorare Ottavio, cui lanciava furiose occhiate. E ora a quest'ultimo toccò una sorpresa, che tale non sarebbe riuscita se egli si fosse dato la pena di riflettere un nulla. Non era finto, cioè, il rispetto con cui alcuni di quegli invitati gli si rivolgevano, non era possibile ingannarsi sull'espressione dei loro sguardi e in generale sul loro contegno; non v'era ombra di scherno né di ironia né di sarcasmo nei loro detti, nelle approvazioni per esempio della vecchia incartapecorita. In breve, Ottavio si convinse che taluni e forse molti della compagnia lo credevano per davvero duca e sposo della duchessa. E in verità costei, per ovvie ragioni, non doveva aver messo a parte della beffa (se semplice beffa era) che i soli intimi, restando gli altri liberi di immaginare che ella avesse tratto di lontano quel marito non conosciutole finora.

In tal modo, Ottavio che avrebbe dovuto essere l'ignaro non essendolo per nulla, i restanti personaggi apparendo per metà delusi o elusi dalla sua stessa consapevolezza e per metà privati del loro divertimento, non ci mancava altro che la duchessa sapesse che Ottavio sapeva e che magari poi questi (ci si perdoni) sapesse che ella sapeva che lui sapeva, perché tutta la farsa risultasse, diremo così, svotata dall'interno.

* * * *

Il giovane passò una notte piuttosto agitata. Al mattino vi fu il consueto cerimoniale, salvo che i cosiddetti camerieri personali erano quattro invece di tre. All'entrare del drappello, il maggiordomo aveva indicato codesto quarto dicendo:

— Presento a Vostra Grazia un Suo nuovo cameriere, che la cura della persona di Vostra Grazia ha reso necessario — e il nuovo venuto si era inchinato con certo fiero e punto servile cipiglio.

Invero la sua fisionomia non era parsa nuova al giovane, che per tutta la durata della toeletta si andò chiedendo dove avesse potuto vederla prima d'ora; notò anche che, nel mentre gli altri camerieri si affaccendavano, lui restava lì con aria tra distratta e sdegnosa senza neppure incorrere nelle rampogne del maggiordomo, e una volta incrociò addirittura le braccia. Costui insomma, per una ragione o per l'altra, eccitò al più alto punto la curiosità di Ottavio; il quale, lasciato poi solo e ozioso, giunse fino a spiare dalla propria stanza nei corridoi, dove servi passavano e ripassavano di continuo, sperando apprendere qualcosa di più sul suo conto.

Nel frattempo gli annunciarono la visita inopinata del principe Ludovico Francesco. Smarrito alquanto, il giovane dette però ordine di riceverlo subito, e passò in sala; ma, tardando il visitatore, socchiuse ancora una volta l'uscio per guardar fuori, e vide quanto segue.

Scortato da un lacchè, il principe arrivava in quella attraversando l'anticamera; dov'era anche, ritto da una parte e fissando come astratto il suolo, quel quarto cameriere appunto, che dell'aristocratico passaggio non sembrò darsi per inteso. Ma ecco il principe, giuntogli presso, turbarsi forte, tremare, chinare il capo, mormorare: « Monsignore! » e quasi far l'atto di piegare il ginocchio. Al che l'altro riscotendosi, sommessamente: « Non mi tradite; vi spiegheranno poi »; non però tanto sommessamente che Ottavio non udisse. Nella cui mente si fece una luce improvvisa. Non v'era dubbio: quell'uomo era il Delfino di Francia! (Ottavio lo aveva veduto più di una volta in qualche corteggio).

E che faceva qui il Delfino di Francia in veste di cameriere? Il giovane non ebbe tempo di alma-

naccare alcuna spiegazione: il principe suo visitatore stava entrando nella sala, non meno commosso
di lui ma presto tornato al suo altezzoso contegno.

— Sappiate o Signore — esordì egli senza rigiri — che io vi conosco.

— Ed anch'io ho il piacere di conoscer voi.

— Signore, con me sarebbe puerile infingersi.

— Mi sarebbe difficile farlo: voi mi vedete qui
nella mia casa e fra la mia gente. Ma vi confesserò
che non comprendo il vostro tono arrogante.

— Signore, per la terza volta vi avverto che con
me la vostra stessa impudenza, che è somma, si
dimostra inutile.

— Signore, qualcosa mi dà a credere che vi farò
accompagnare alla porta dai miei valletti.

— Ah, è così che la intendete? Vi dirò dunque
chi voi siate, e contraddietemi se potete: siete un
ignobile tanghero, o vagabondo o pezzente se più
vi piace, raccattato sulla strada anzi nel fango dalla
duchessa per capriccio. Altro che vostra casa, vostra
gente e vostri valletti!

A parte la qualità di tanghero, era infatti quello
un efficace riassunto della situazione e dell'essere
di Ottavio, non bisognava dimenticarlo. E questi,
ora, come avrebbe dovuto regolarsi? Ma gettarsi
ai piedi del principe, non era più in umore da farlo;
meglio, per quanto difficile fosse quel colloquio da
sostenere, opporsi all'evidenza e stare a veder la
fine. Considerato dall'alto, per un minuto buono,
il suo avversario, il giovane lasciò da ultimo cadere:

— Buon per voi, Signore, che non uso chieder ragione dei loro detti ai pazzi né ai provocatori: questi faccio bastonare dai miei servi, castigo sempre men duro che perire di spada, i primi raccomando alle cure del mio medico. Decidete voi stesso a quale specie o razza vogliate essere ascritto, affinché anche io sappia decidere.

— Guà guà l'impronto, il furfante! — A questi *guà* Ottavio riconobbe definitivamente il suo uomo per colui che appunto lo aveva raccattato dalla strada insieme alla duchessa: tanto peggio, non c'era ormai da dare addietro.

— E in primo luogo, se non è soverchio ardimento il chiederlo, che cosa è che vi spinge ad affrontarmi così brutalmente in mia casa?

— Eh? Ehm.... Il solo amore della verità e il desiderio di confondere un ribaldo.

— O non piuttosto un meno aperto amore?

— Che dite? Che dici, meccanico?

— Ringoiate la vostra protervia o perderò la pazienza! Dico che manifestamente amate o fingete di amare la duchessa e che, s'intende, le vostre profferte furono respinte.

— Oh!... Voi mentite; io... guà guà... io saprò darvi la lezione che meritate. Io....

— Sapete bene che non mento, e vi consiglio di calmarvi. Sì, o cavaliere senza macchia, io non ignoro ciò che voi osate colla mia sposa. Ma badate: se finora ho tollerato i vostri dimenamenti che, ben conoscendoli vani, mi furono anzi oggetto di sollazzo e di scherno, non per tanto son disposto a tollerarli fin quando alla vostra importunità e impertinenza piaccia tornare a più serio contegno. Sentiamo, che vi serve da Sua Grazia la mia consorte? E qual'è la sfrontatezza che vi mena qui? Da me che vorreste?

Ottavio si asciugò il sudore. Ma il principe, già un po' freddato dalla impreveduta resistenza e dalla piega che prendeva il discorso, andava a sua volta riflettendo che ad azzuffarsi con quell'ostinato impostore si sarebbe coperto di ridicolo in ogni caso; epperò rispose con mutato tono:

— Giovanotto, a che vale disputare? Voi sapete chi siete, e anch'io lo so: tanto vi basti.

— È vero: son chi sono, cioè il duca di... di....

— Sì, sì; ma ascoltate ora quanto mi rimane da dirvi. E, per prima cosa, voglio almeno io esser sincero: non nego di amar la duchessa, e non nego neppure che mi riesca fastidiosa quella certa... quella certa curiosità di cui ella vi onora. — Il poverino si dava mani e piedi legati al nemico. — Orbene, la questione può essere trattata tra noi come usa tra uomini.

— La vostra sfrontatezza, o Signore, non ha davvero limiti: se ho ben capito, voi vorreste che io abbandonassi la mia sposa per lasciarvi il campo libero? Se così è, ditelo a chiare note, perché io misuri l'estensione e la profondità della vostra follia. In fede mia non sarete bastonato, sibbene amorevolmente curato.

— Oh santo cielo, ma datemi retta piuttosto. Apertamente vi chiedo: che cosa domandate in cambio del tornarvene subito alla vostra oscurità, del dileguarvi sull'istante senza lasciar traccia? Pensateci, il vostro stato potrebbe mutare dalla notte al giorno e da un momento all'altro; né è mio costume mercanteggiare. Pensate anche che la presente vostra condizione non può durare eterna, voi ben lo comprendete; che, stanca la duchessa del gioco....

— Ah basta, questo è troppo! — gridò Ottavio dopo appena un attimo di esitazione; e con furore vero o finto scosse il cordone del campanello. — Voi vorreste comprarmi, voi vorreste far mercato dei miei sentimenti, del mio onore! Uscite per la più corta, e stimatevi ancora fortunato se non....

Due servi comparvero.

— Accompagnate alla porta questo volgare insultatore!

I servi, che ben conoscevano il principe, si scambiarono un'occhiata e non si mossero ancora. Il principe allargò le braccia, fissò minacciosamente Ottavio, borbottò qualcosa di udirsi o rivedersi presto, e uscì a gran passi.

* * * * *

Il desinare fu anche questo secondo giorno servito a Ottavio nelle sue stanze. Egli chiese di vedere la duchessa: gli fu negato con qualche pretesto.

Come poi ella pretendesse divertirsi alle sue spalle senza vederlo e standosene così ritirata, non si capiva; forse lo spiava. Il giovane cominciava ad annoiarsi quando, verso sera, gli fu annunciata un'altra visita, quella stavolta del Cugino.

— Auguro a Vostra Grazia la buona sera — diss'egli colla solita aria beffarda e nel solito barbaro francese.

— La buona sera anche a voi.

— Bene, i convenevoli son fatti.

— Vi trovo strano, Cugino.

— E posso domandare a Vostra Grazia dove o come Ella intende trascorrere la detta sera?

— Ma... c'è ancora tempo a pensarci.

— Annuncio a Vostra Grazia che stasera vi sarà gioco a palazzo: il faraone, del quale Ella è senza dubbio appassionata. E chiedo: con che mezzo o, più chiaramente, con che mezzi si propone Vostra Grazia di far fronte a tale gravoso gioco?

— Bizzarra inchiesta davvero.

— Sentite amico, — riprese quello cambiando bruscamente tono — non so chi siate e non mi importa saperlo; ma non serve essere indovini per capire che non nuotate nell'oro.

— Che diavolo dite, Cugino?

— Ed è anche evidente che siete un giovane accorto.

— Accorto?

— Con cui tanto vale parlare alla buona. Dico dunque che voi potreste agevolmente profittare della vostra straordinaria e, non dimenticatelo, momentanea posizione; o, per essere più precisi, potremmo ambedue profittarne, poiché in certo senso noi due.... E qui è lo scopo della mia visita.

— Profittare... posizione straordinaria, momentanea.... Non vi intendo e non desidero ascoltarvi oltre.

— Ma tacete in grazia una buona volta! E invece porgete orecchio a questa breve storia. Io sono o ero cugino del defunto marito della duchessa.

— Non lo ignoro.... Cioè, che marito e che defunto!

— Cugino iniquamente diseredato o quasi a vantaggio di colui appunto e della sua casata. Ora, alla sua morte, seguita due anni addietro, grandi speranze si riponevano e in particolare io riponevo nei generosi intendimenti e nel senso di giustizia della duchessa, dalla quale mi auguravo un atto riparatore. Ma sì, codesta gran dama si dà davvero pensiero del suo parentado, ella che sembra avere ben altri grilli pel capo!

— La vostra storia è manifestamente assurda: io sono il marito della duchessa, io dunque sarei colui dal quale o a vantaggio del quale foste espoliato.

— Ma finitela colle vostre pagliacciate: mi avete preso per un bambino?

— Signore!

— Lo vogliate o no andrò in fondo al mio discorso.... Ciò pertanto che io vi propongo non è illegittimo se non in apparenza: in realtà è atto di giustizia.

— E avanti, sfogate compiutamente la vostra follia, prima che io vi faccia accompagnare alla porta a suon di bastonate —. Il repertorio di frasi del genere è infatti assai limitato.

— Alla buon'ora; vi vedo più ragionevole. Richiamerò così la vostra attenzione su alcuni punti importanti. Primo: checché voi chiedeste al maggiordomo, all'economo, all'amministratore o a qualunque altro rispettabile impiegato di questa casa, vi sarebbe nelle attuali circostanze probabilmente accordato, sia con che senza ordine espresso e particolare della duchessa. Secondo: io potrei assumermi di segnalarvi le sedi di alcune giacenze, che voi avreste maggiore opportunità di raggiungere. Terzo....

— Economo... giacenze... opportunità... — ripeté il giovane fingendosi e sentendosi mezzo soffocato.

— Ma sì, opportunità, considerato il presente capriccio di Sua Grazia per voi o quanto meno per qualcosa che vi riguarda; e riguarda, è vero, il suo crudele orgoglio.

— Impudente mentecatto, ribaldo! Ho già troppo tollerato da voi e vi impongo....

— Terzo e più positivo punto: nel gioco di questa sera io potrei farmi finanziere, ché d'un finanziere avrete bisogno, e anche, fin dove mi è possibile, esecutore, a voi confidando la restante parte dell'esecuzione. Oh, la meno difficile, vi assicuro:

basterà un poco di prestezza, che dico, di accortezza, come udrete subito. Gli utili saranno divisi a mezzo.

— Non una parola di più, furfante! Ciò che in sostanza mi proponete è truffa, è furto, è bareria!... E poi no, mio Dio: è, a parte i progettati maneggi al gioco, una bricconata senza capo né coda, ché il furto sarebbe ai miei propri danni, io stesso sarei il derubato.... Veh che insensati imbrogli può generare una mente inferma, volta peraltro al male! Alle corte: mi avete costretto ad ascoltare fino in fondo questa bruttura, e ora, e ora....

Il giovane scosse ancora una volta il cordone del campanello, con non minore e anzi con maggior furia della prima; i medesimi due servi comparvero.

— Buttate fuori delle mie stanze costui!

I servi non si mossero e balbettarono:

— Ma Vostra Grazia... il cugino di Vostra Grazia....

— Lasciate stare, me ne vado in ogni modo. Sua Grazia manifestamente preferisce ritrovarsi tra due giorni a filosofare lungo il rigagnolo della strada.

— Scellerato, vi denuncerò a chi si deve.

— Non vi converrà, credo.

« Tuttavia egli ha ragione: — si disse Ottavio, uscito che fu il Cugino — tra due giorni, domani stesso forse, secondo il capriccio di chi ne ha il potere.... Il capriccio: eh sì ». E restò a rimuginare lungamente quella frase di capriccio pronunciata poco innanzi da colui, la sola che lo avesse propriamente colpito. Pensò poi che davvero gli sarebbe corso l'obbligo di denunciare quel ribaldo alla duchessa; ma che pel momento a farlo si sarebbe soltanto messo in un impiccio: « A quanto pare i ribaldi hanno ragione in ogni cosa ».

* * * * * *

Si cenò in piccola compagnia, senza l'opportunità di discorsi particolari colla duchessa, e subito furono approntate le tavole da gioco; molte dame e gentiluomini (tra cui, come dovunque si giochi d'azzardo, non mancava qualche fisionomia sospetta) vi si affollarono intorno. Privo com'era di capitali, Ottavio si aggirava invece per quelle sale come curiosando e in realtà non sapendo che contegno tenere: ritirarsi non voleva poiché la duchessa era, e accanitamente, della partita.

— Vostra Grazia non gioca? — gli chiese a un certo punto il perfido Cugino.

— Ehm, non ho estro: vedremo più tardi. Ma divertitevi liberamente senza darvi pensiero di me.

Si fermò un momento a osservare da ritto i giocatori, presso alla duchessa, la quale aveva un posto libero accanto.

— Non vorreste, Signore, aiutarmi nel mio gioco? Le vincite saranno a metà, e beninteso le perdite — diss'ella spingendo verso quel posto libero un mucchio d'oro. Era un'elemosina, ancorché fatta secondo le regole.

— No, ve ne prego, vogliate scusarmi.

L'oro infatti scorreva su quelle tavole in biondi fiumi, accolto presso ai banchieri in tonfi, che essi andavano risciacquando con amorose mani; d'uno ad altro passando, ma sempre risplendendo a un modo e quasi ammiccando. Sicché a un dato momento Ottavio, che tra l'altro non era insensibile alle seduzioni del gioco, fu preso da un prurito e insieme da una specie di rancore: gli parve dopotutto sciocco non cercare di aggiudicarsi una parte di quelle dovizie vagabonde. Ma come fare e di dove cominciare? «Possibile — si disse — che qui dove tutti si frugano a nessuno sia sfuggita una monetina?»; e si dette a scrutare ostinatamente il suolo.

La sua fiducia fu dopo lunga indagine premiata, ché egli finì collo scorgere, sotto una scranna dove si era rifugiato rotolando, un luigi d'oro; c'era adesso il problema del raccattarlo senza dar nell'occhio, ma il giovane credette risolverlo col lasciar cadere il fazzoletto, e trionfante tornò accanto alla duchessa. In quel punto teneva banco il Cugino, che naturalmente vinceva di gran somme.

— Ebbene, Signora, farò una sola puntata, e non rovinosa; in compenso mia sarà tutta la vincita poiché interamente mio è il capitale.

Ella e un paio di vicini lo guardarono con una certa sorpresa, di cui il giovane non si dette pensiero.

— È questa la vostra carta? — chiese il ban-

chiere guardandolo significativamente e allungando-
gliene una.

— No vivaddio: quest'altra. — Immaginava,
non a torto, che il baro credesse a una sua resipi-
scenza, epperò, senza volersi chiarire che genere
appunto d'imbroglio denunciassero quegli strabuzza-
menti di occhi, rifiutava a buon conto la proposta
carta.

— E su questa medesima carta io gioco cento
luigi — soggiunse d'un tratto la duchessa.

— E io cinquanta — disse un altro.

— Ma sì, — disse un perdente — proviamo la
mano di Sua Grazia. Quanto avete costì di banco?
Per me cinquecento luigi.

Il Cugino impallidì leggermente e voltò la propria carta, che perse. Ottavio aveva dunque vinto il
colpo base. Ora avrebbe anche potuto dividere il
raddoppiato capitale, giocò invece ambedue i luigi
nel colpo seguente e daccapo vinse e poi vinse ancora; mentre gli altri, sempre seguendo il suo gioco,
attaccavano il ricco banco con crescente energia.

In breve il Cugino fu sbancato e dispettosamente
cedette il posto. Ma il nostro eroe non si fermò qui
e seguitò a vincere. Ormai il vagolante fiume d'oro
pareva aver fermato la sua direzione e anzi far rapida
dalla sua parte; egli aveva già una vasta pozza di
monete davanti e, quella pozza di colpo in colpo si
allargava, si gonfiava, straripava, diveniva stagno,
lago, e (la nostra immagine non essendo pari agli
eventi) collina e montagna, insomma tutto un pae-

saggio; già alcuni dagli altri tavoli accorrevano a godersi lo spettacolo.

— Siete formidabile — che è espressione consacrata.

— È la vostra vicinanza, Signora.

Infine, inebriato, perduto in una sorta di incoscienza, Ottavio si levò e non senza fatica spinse il suo enorme mucchio d'oro su un'unica carta; tutti trattenevano il fiato. Vinse.

Vinse e improvvisamente si calmò: quell'immensa ricchezza chi avrebbe potuto levargliela o contestargliela? Su quell'oro, come suol dirsi, non ci pioveva; conveniva tenerselo checché potessero pensarne gli altri giocatori e comunque poco aristocratico potesse venir giudicato un tale comportamento. Ma per fortuna coloro, ridotti al lumicino, smisero il gioco spontaneamente.

— Oh! — borbottò Ottavio — mi dispiace davvero. Ebbene, a domani o a quando vorrete, la rivincita.

Poi fu preso da uno scrupolo di coscienza: la deliziosa messe non era in definitiva il frutto, se non di un ladrocinio, di una indebita appropriazione? Sicché, a voler essere baiardi, gli sarebbe addirittura toccato di restituire a ciascuno il tolto? Dopo breve riflessione il giovane decise invece di rimettere sotto la scranna il luigi che vi aveva trovato, o comunque un luigi. Questo sì, era il meno che si potesse fare: non forse una soluzione rigorosamente morale, ma col denaro è peccato scherzare.

Sulla gran tavola da gioco e per metà occupandola, non era rimasto che il suo oro, ammucchiato alla rinfusa. A portarlo via da sé non si poteva pensare: Ottavio vi tuffò una mano e chiamò con un cenno due lacchè ritti accanto a una porta, che ne ebbero un pugno ciascuno; quindi ordinò loro di prendere per le cocche il tappeto verde e di trasportare con tal mezzo il ben di Dio nelle sue stanze. Se non che a tanto i due non bastarono e dovettero chiamare in aiuto altri due; e da ultimo, tra tutti e quattro, attraversarono la sala col favoloso carico, cui quel fior di gentiluomini fecero rispettosamente ala.

Ottavio intanto, con un luigi stretto nel pugno, si aggirava inquietamente per la sala aspettando l'opportunità di gettarlo sotto la scranna, e riflettendo che nel frattempo i lacchè e tutto il servidorame lo avrebbero derubato a man salva. Finalmente, essendo cessato dovunque il gioco, tutti uscirono, e il giovane rimase indietro per la sua bisogna. Che stava compiendo in fretta, quando una voce lo raggiunse alle spalle.

— Sua Grazia sta dando pace alla propria coscienza — diceva il dannato Cugino. — Che cosa non può fare un solo luigi raccattato a tempo!

— Che... che vi salta?

— Beh, io vedo quasi tutto. Ma state attento: denaro venuto al gioco al gioco va. Confido insomma che le mie proposte, da voi spregiate, vi tornino presto a mente.

Ottavio corse via e, dimenticando duchessa e ogni cosa al mondo, si ritirò nelle sue stanze per contarvi o meglio contemplarvi i quattrini. Il mucchio d'oro gli parve infatti, a occhio, alquanto scemato; ma c'era sempre di che fare il signore per tutta la vita.

* * * * * * *

A mezzogiorno, svegliandosi, Ottavio per prima cosa si disse: «Son ricco!». Per seconda, vedendosi a piè del letto il suo nuovo cameriere, in altri termini il Delfino (che, tra le emozioni della sera precedente, aveva addirittura dimenticato), si ripropose l'enigma di quella straordinaria presenza. Pensa e ripensa durante l'elaborata toeletta, alla fine concluse logicamente che per nessun'altra ragione il Delfino di Francia poteva esser lì se non per amore; senza dubbio egli s'era invaghito della duchessa e per qualche motivo non voleva corteggiarla apertamente, o forse ne era già stato respinto. «Ebbene, gli ha ad essere chi vuole, io non lo aiuterò certo. E intanto, giacché è qui in panni servili, mi voglio prendere il gusto di fargli sentire quanto è duro il servaggio»; nel qual proposito, come si vede, c'era molto della spocchia che i quattrini fanno venire a chicchessia.

— Voi, si può sapere perché ve ne state lì impalato e non aiutate i vostri compagni? Diamine, da ieri (o quando siete arrivato?) potreste già aver capito qualcosa del servizio. Su, datevi da fare, prendete quell'asciugatoio e fregatemi per bene questo piede. Ehi? non vedete che c'è una callosità? Vi pregherei di toglierla, se non è troppo pretendere dalla vostra delicatezza.

Il Delfino sussultò, ché al solito era astratto, gli lampeggiarono gli occhi, quindi chinò il capo e si schiarì la gola.

— Vostra... Vostra Grazia voglia scusarmi — brontolò raucamente.

— Eh scusare, signor mio! Avanti, avanti, togliete il callo e non mi fate male.

Un altro cameriere volle sostituire il malcapitato.

— No no, ho detto a lui.

— Gli è — ruggì più che dire il Delfino — che di siffatta bisogna in verità non sono pratico.

— Ah, parli scelto: mi rallegro. Saprai almeno lucidarmi gli scarpini, quelli lì, o se no perché sei al mio servizio? Animo dunque e sta' attento alla fibbia.

Il Delfino principiò a obbedire o finse di farlo, con grandi schiarimenti di gola e uno stringer di pugna che credeva segreto. E Ottavio in buon punto si disse che con quello stupido gioco poteva bastare.

Finita la toeletta, gli altri camerieri uscirono col maggiordomo e il Delfino rimase, fingendo di metter ordine.

— Signore — disse finalmente levando su Ottavio un paio di fierissimi occhi. — Signore, cioè Vostra Grazia.... Al diavolo! — concluse.

— Al diavolo, giovanotto? Chi o che cosa?

— Al diavolo questa ridicola e inutile commedia — rispose pestando il piede e digrignando i denti.

— Il vostro contegno, giovanotto....

— Signore, io sono il Delfino di Francia.

— Davvero! e perché non ci pensate meglio? Potreste fors'anche riconoscervi imperatore della China.

— Vi giuro, Signore, che sono il Delfino.

— Ed io che sono la regina Zenobia. Ma ora levatevi dai piedi.

— Gran Dio! Conoscete questo anello? — e ne cavò uno dal taschino.

— Ah Monsignore! chi avrebbe mai potuto... io son proprio... — esclamò Ottavio fingendo di riconoscere quel suggello, di stupire, di piegare il ginocchio, fingendo insomma tutto quanto occorreva fingere.

— E ora, Signore, vi rivelerò senza più la causa del mio travestimento; anche perché ho bisogno del vostro aiuto.

— Tutto ciò che è in mio potere, Monsignore... e tutto ciò che mi appartiene....

— Bene. Ma prima una domanda: chi siete? Ovvero quest'altra: chi non siete? Poiché desidero unicamente assicurarmi che non siate il consorte della duchessa e che non siate a lei diversamente legato.

Eccone un altro, e un altro caso pensereccio! Ma stavolta Ottavio non si arrischiò a mentire a chi poteva tutto, epperò anche gettarlo di punto in bianco alla Bastiglia senza renderne conto a nessuno.

— Monsignore, io son soltanto Ottavio di Saint-Vincent; ma scongiuro Vostra Altezza....

— Parola di re! Che, non siamo noi qui ambedue sotto mentite spoglie? Né vi chiederò i vostri motivi. Vi dirò invece i miei: Signore, io amo la duchessa, che si mostra crudele. Eh, non dite nulla?

— Se a Vostra Altezza non dispiace, attendo il seguito.

— Il seguito: se pure vi fosse un seguito! Ecco in breve quanto mi aspetto da voi. Voi sembrate colla duchessa in buoni termini... oppure anche voi la amate? — soggiunse rabbuiandosi e quasi minacciosamente.

— No... no.

— Ordunque, Signor di Saint-Vincent, come uomo e come vostro sovrano io vi chiedo di concertarmi un colloquio particolare colla duchessa, in luogo e in ora da non esser molestati.

Era chiedere assai: Ottavio avrebbe dovuto farsi ruffiano, e con donna che (si diceva) era in cima ai suoi pensieri.

— Signore, avete una gran propensione al tacere.

— Il fatto è che... che... Vostra Altezza mi dà licenza di esternarle senza infingimenti il mio pensiero?

— E parlate dunque.

— Ebbene, Monsignore, — concluse coraggiosamente Ottavio — voi mi avete chiesto la sola cosa che a gentiluomo, per quanto umile, non sia da chiedere.

— Che che, vi rifiutate! Badate a voi.

— Dopo Sua Maestà il re, Vostra Altezza è il primo gentiluomo del reame: potrà Ella biasimare il sentimento di chi non tenga a suo diritto il turbare la pace di una dama? biasimare la discrezione?

— Eppure voi stesso siete qui indiscretamente, benché ne ignori il motivo — borbottò il Delfino interdetto, anche per quanto nella replica lo riguardava. E in tono conciliante: — Vediamo, Signore, non si dà nulla che vi stia particolarmente a cuore? Di ricchezze, come vedo da quel gran mucchio d'oro, non avete alcun bisogno: che ne direste d'un... d'una contea?

— Monsignore....

— D'un marchesato?

— Monsignore....

— Per l'inferno! D'un ducato?

— Ah Monsignore, fermatevi pur qui, senza trascorrere a un reame e ad un impero: non v'è onore o titolo o dignità che possa comprare un Saint-Vincent.

E, spacciata appena la sua grandezzata, il giovane abbassò la testa in attesa di chissà quale terribile o sferzante risposta. La risposta giunse invece con ritardo e di tutt'altro tenore.

— Perdio, Signore, vi ammiro. Ma pure voi lasciate colui al quale dovete fedeltà e servigio nell'imbarazzo; no, lo lasciate in pena.

— La mia vita stessa difatto vi appartiene, ma...

— Che devo dirvi di più? Il fuoco di questa passione mi divora: io non avrò pace se prima.... Vedete, vi parlo come a mio pari.

— Ed io sono a ciò infinitamente sensibile.... Ma Vostra Altezza, per esser qui, avrà senza dubbio degli uomini di concerto.

— Ho infatti nel palazzo dei servitori fedeli; ma che, son gente di poco conto e privi affatto di ascendente sull'animo della duchessa.

— Il maggiordomo?

— È fallito.

— Bah, Vostra Altezza si calmerà forse e distrarrà, o si calmerà distraendosi.

— Mai. — Ottavio si strinse nelle spalle. — Ebbene, che mi dite per ultimo? — Ottavio chinò il capo senza rispondere. — Io stesso dunque.... Sì, avvenga che può.

— Non vi esponete, Monsignore.

— E come non esporsi? Oh solitudine dei principi!... Ma voi, Signore, mi piacete sebbene mi abbandoniate a questo rovello. Non so abborrirvi perché non so disprezzarvi. Addio.

* * * * * * *

« Qual'è, delle nostre due imposture, la peggiore?
— commentava seco stesso Ottavio. — Egli, il Delfino, soltanto immagina di spasimare, mentre il suo non è che un capriccio di re. E sia pure, ma se immagina è come spasimasse davvero, e infine egli è qui per un moto del cuore, falso o genuino: io, da che cosa sono stato mosso? Dalla necessità? O non piuttosto dalla noia? Poiché di fatto sta che ho finora rifiutato tutti i vantaggi della mia fortunata posizione e per la più corta un ducato. E perché poi l'ho fatto? Proprio per onestà e dignità, o per altre e più profonde ragioni? Ma perché allora, di nuovo, son venuto qui? So, s'intende, perché rimango; ma lo so poi davvero? Davvero mi sta a cuore questa duchessa che ho appena intravveduto? Oh sì: sui miei sentimenti... direi almeno... non corre dubbio. D'altronde la questione non è questa, o meglio non va presa da questo verso. Riassumiamo per ordine, tanto da non perdere il capo. Due giorni fa (o quanti? qui si perde il senso del tempo; insomma dianzi) io filosofavo, come dice il Cugino, lungo il rigagnolo della strada: oggi son perlomeno ricco e, quel che più conta, senza essermi macchiato di delitti o di semplice bassezza, grazie solo a un'insignificante transazione colla mia coscienza (sì sì, la faccenda del luigi raccattato). Ricco, e potrei benissimo salutar tutti e andarmene

per i fatti miei e, saggiamente amministrando la mia sostanza, viver tranquillo. Questa è la realtà delle cose, alla quale io, che sono per natura un chiappanuvoli, farò bene a tenermi stretto; il tutto senza contare il mio presente benché fuggevole stato.... Fuggevole? E chi sa mai, chi può sapere?... Ebbene, come principio non ci sarebbe proprio male se... se.... Ecco che ci risono. E finalmente che cosa voglio, che cosa mi serve ancora? Eh, ma è manifesto: a tutto ciò manca il più importante, manca l'amore. Conseguito o conquistato il quale, il mio animo si placherà e potrò godere in pace della mia straordinaria fortuna. Sì, deve essere così. E sul momento, per non ridare nella fantasticheria, contiamo finalmente quell'oro e ordiniamolo.... Che ne farò poi propriamente? Viver tranquillo è un'immagine vaga: si tratta d'impiegarlo utilmente, e io non so di dove cominciare. Inoltre ho una gran voglia di buttarlo via per rifarmi di tutto il tempo che ne sono stato privo.... Basta, basta, all'opera ».

* * * * * * * *

Il giorno dopo la duchessa, restata tuttavia quasi invisibile e ferma a ogni tentativo di discorso filato, fece sapere a Ottavio che desiderava parlargli. Era il momento che questi attendeva; egli accorse. Il cuore gli batteva forte attraversando il profumato appartamento pieno di oggetti e ninnoli femminili.

La duchessa lo ricevette nel proprio scrittoio, licenziò
con un cenno la maestra di casa in vesti brune che
le stava intorno, e i due rimasero viso a viso davanti
a uno splendente tavolo intarsiato.

Ella taceva, poi si levò mutando qualche incerto
passo, indi si volse e chiese con dolcezza:

— Signore, chi siete dunque?

Qui non c'era da tentennare; ma Ottavio non
rispose direttamente.

— Dovete, Signora, saperlo quanto me o poco
ci manca.

— Ma io non so nulla, salvo che non siete
l'uomo volgare che finalmente avreste potuto essere.... Vedete che non amo le ambagi: siate anche
voi sincero.

— Anzitutto vi ringrazio. Ma in verità cosa desi-
derate conoscere che già non conosciate? Il mio
nome? Esso non vi direbbe nulla. I miei sentimenti?
Non ve li ho nascosti neppure la prima sera; e non
son certo mutati, ché anzi....

— Oh Signore, ve ne prego — diss'ella quasi
con tristezza. — Io non vi ho chiesto ancora dei
vostri sentimenti: mio Dio, è troppo facile parlare
così... come tutti.

— Ma dunque, Signora, mi domandate sincerità e di essa vi adontate. Preferite si torni al primo
punto? E sia. Io sono, Signora, o son poco di diverso, quel vagabondo che voi una notte raccoglieste
lacero e affamato dal fango della strada, per vostro
divertimento.

— Non è precisamente così, o Signore; sebbene... Ma, senza disputare di ciò, è appunto la diversità or ora detta di passata che mi importa.

— Una diversità da nulla, Signora, che non può al contrario importarvi. E veramente, che può fare a voi o ad altri se sotto i cenci di quel vagabondo, ora magicamente convertiti (oh, per un attimo solo) in vesti pompose, fosse e sia un cuore già duramente provato dalle avversità eppure non ancor vizzo e tuttavia confusamente inteso ed anelante ad alcunché di nobile e buono, a degne imprese, infine alla vera vita e a ciò che tale la rende: l'amore; sì, all'amore, Signora? un cuore che attende d'esser colmato perché si conosce capace di colmarne un altro; che, avendo lungamente abbrividito al gelo, si fa, illuso! vampa d'ogni sfolgorio di rugiada, incendio d'ogni raggio di sole, inferno d'ogni luce d'occhi; che, timido e furioso, domanda d'esser confortato al giusto possesso del mondo, alla sua parte di terreni e celesti beni; che, nondimeno, spregerebbe il godere di questi da solo; cui è tortura la quotidiana e diuturna frode e la quotidiana viltà?

— Ah, vi ingannate Signore, vi ingannate per quanto almeno mi riguarda! Se vi dicessi che per una volta la noia mi è stata buona consigliera, che io ho riconosciuto o meglio indovinato il palpito di quel cuore e ne ho provato una strana gioia? Che mi è parso esso fraterno? Oh delicato mistero, tenero prodigio: fino a ieri voi mi eravate ignoto, vagante per altre e lontane vie; oggi io vi sentivo prossimo e spirante, e tanto meglio mi sembrava conoscervi per ciò che ignoravo fino il vostro nome. Ché non era vicinanza la nostra, avrei detto, ma in alcuna maniera comunanza. Eh, comunanza di che, Signore? Non mi importava saperlo; ma non era il cielo che ci aveva bizzarramente uniti perché io non fossi sola, perché potessi almeno sperare? E speravo davvero e spero oscuramente.

— Oh Signora, le vostre parole....

— Ma no, Signore: quale orgoglio, quale follia o cecità ve le fa intendere diverse da quali suonano? Voi pensate che io v'ami e vi sbagliate... vi sbagliate.

— Non oso pensarlo, forse neppur vorrei, e voi stessa peccate ora d'orgoglio; e tanto a vile mi tenete da credere che io pretenda volgere a mio vantaggio ogni vostra più nobile parola? No. Ma infine la vostra oscura speranza è quella medesima di tutti i cuori sui quali non sia sceso il tetro velo dell'indifferenza e della menzogna: e che altro potrebbe fare un cuor vivo se non amare, sia qual si voglia il suo oggetto e il suo modo?

— Che altro? Soffrire, e ciecamente battere alle pareti della sua prigione. Se poteste sapere quale fu e quale è la mia vita! Andata sposa, laggiù, giovinetta appena ad un uomo che non amavo, rimasi due anni fa, alla sua morte, padrona di un vistoso patrimonio... e di un cuore inquieto, sempre insoddisfatto. E se prima la mia stessa condizione mi chiudeva ogni uscita e spengeva ogni speranza, da allora fu ancor peggio: ché la speranza, non più oppressa, non risorgeva per tanto. Due anni sono lunghi, Signore! e più lunga è la prima giovinezza di una donna: la mia, perduta, vanamente consumata. Io ero, come mi vedete, circondata dal fasto e dagli interessati omaggi di uomini anche illustri: lo stesso Delfino di Francia cercava la mia compagnia, e non quella soltanto; in questo medesimo istante egli è qui tra i miei servi....

— Che, voi sapete...?

— Sì.... E a che mi valeva nel mio deserto? Ma dunque, mi dicevo, questo è tutto ciò che mi era compartito, e tale dovrò morire, senza dar vita e senza riceverne; il mio cuore non palpiterà mai, e sia dolorosamente, non si inebrierà, non si gonfierà fino a scoppiare? In tutti quegli uomini scorgevo qualche riposto segno di bassezza, se non di infamia, una ridicola ambizione, una smisurata vanità, una mal celata avidità, una bestiale lussuria, che so ancora; sordi e ciechi mi parevano essi strisciare in un limo da cui non si sarebbero mai divelti, elevati. Neppure nelle opere dei poeti trovavo cosa che rispondesse alla mia presente ansia, al mio particolare e buio tormento, alla mia votezza, quasi essi, chiusi in orgogliose fantasie, non potessero giovarmi; o piuttosto non volessero, spregiando la mia lunga benché incolpevole accidia.... Ah, perché vi dico queste cose?

— Siate certa, Signora, che non dovrete pen-
tirvene.

— Direte forse che il mio modo stesso era sbagliato, il mio modo di vivere e d'essere, che tutto
veniva dalla mia superbia, dall'aridità del mio cuore.
Ma vi giuro....

— Non occorre giuriate né diciate di più. Pro-
seguite.

— E poi, una notte che avevo più del consueto
il cuore stretto, che un indiscreto mi assediava, che
più freddamente e per me vanamente splendevano
in cielo le stelle, eppure il vento mi portava dai
boschi, forse dal mare, come un presagio e l'animo
non voleva ancora arrendersi alle nebbie che lo
ingombravano nella sua bassura, pigramente seguitando
tando a fluirvi, una notte altro indiscreto e più e
meno ignoto venne e giacque sotto le mie finestre,
inviatovi certo da Dio, ché aveva altro segno sulla
fronte insudiciata, altro fuoco, altro abbandono, altre
fattezze sotto i cenci del vagabondo frettolosamente
indossati.

— Signora, io non....

— Sì, egli era l'ignoto senza più, quello che si
conosce di lunga mano, da sempre, quello che il
cuore talvolta presente; ed io non osavo credere alla
mia ventura. Oh, sapevo che egli aveva ascoltato i
miei futili e disperati discorsi sul terrazzo e ne aveva
tratto il suo partito....

— Vo... voi sapevate, Signora?

— Ma sì: — disse con candida sorpresa — non altro potevo immaginare a trovarvi lì subitamente.... Sapevo; ma che importava? Eravate ad ogni modo venuto, mi piaceva anzi credere che foste accorso, traverso la notte, pronto al mio richiamo: se Dio non vi aveva direttamente posto sul mio cammino, vi aveva almeno convocato in quella via, a quell'ora, perché mi udiste....

— Voi, voi Signora sapevate, e tolleraste la mia impostura, quella con cui mi figuravo rintuzzare e deludere la vostra?...

— Ed ora siete qui, spoglio di tutto quanto la vicinanza ruba a ciascuno o la realtà al sogno (quella notte tacevate fingendovi soverchiato dal vino e potevo immaginarvi secondo il mio talento); ma pure voi, voi stesso... e come spoglio se invece il sogno toglie dalla realtà la sua forza e se quello che la vicinanza rivela è il pegno più prezioso?

— Ah Signora, di che?

— Ed io vi parlo così apertamente senza rossore, senza pentimento, senza tema del vostro giudizio, e solo mi tormenta ciò che in questo istante vi leggo in volto, codesta caparbia fatuità: ma dunque non lo crederete che io non....

— Ah basta Signora, non opponete più argini alla piena dei miei affetti, alla mia esultanza! Ho taciuto, come volevate, perché non avevate ancor detto: ora ho la prova.

— Che prova, Signore?

— La prova, Signora, che mi amate!

— Vi ingannate... vi ingannate a partito.

— No non m'inganno, Signora: un cuor triste
e avvilito può ingannarsi, non un cuore gioioso! Perché altrimenti avreste sofferto la mia frode, che
rendeva inutile la vostra? perché mi avreste oggi
aperto l'animo? perché infine.... Ma c'è forse bisogno di prove? Le vostre parole stesse vi denunciano,
segnando la mia perenne sorte; e fossero più oscure,
non vi sarebbe sempre il mio recondito sentimento,
l'arcano e ineluttabile moto di un cuore che pal-
pita incontro al vostro? Può bensì darsi che voi
stessa ancora non vi vediate chiaro nell'anima, ma
io saprò, colla luce che ho nella mia, anche nella
vostra far luce.

— Ahimé Signore, ciò che dite mi porge conforto e amarezza. Conforto, perché vi vedo quale
vi vagheggiavo e vi voglio; amarezza perché non
mi comprendete. Oh Dio, come darvi ad intendere....
No, Signore, non è questo: oh, avrei forse parlato
invano, dovrò forse pentirmi di aver parlato come
ho fatto?

— No, mai, l'ho giurato; ma lasciate che dia
libero sfogo alla gioia che mi scuote. Signora! e sia
pure come voi dite e siano altri o più torbi i vostri
sentimenti da quelli che la mia ansia si finge; ebbene,
non hanno essi, anche tali, forza e calore suffi-
cienti per... Non potremo ugualmente esser felici?

— Esser felici! — ripeté la duchessa, sciogliendo
le belle membra sul suo seggiolone e chinando la
testa.

— Sì o Signora, esser felici: è il nostro dovere! E lo saremo nel modo che voi vorrete.

E qui Ottavio, giudicandone venuto il momento, si buttò ai piedi della duchessa, le afferrò una mano e tentò coprirla di baci ardenti. Se non che ella, riscotendosi e drizzandosi sulla persona, quanto freddamente poté disse:

— Vedo, Signore, che questo colloquio è durato troppo.

— Troppo poco! — ribatté il giovane alquanto e non eccessivamente interdetto. — Ma esso verrà ben presto ripreso e durerà allora tutta la vita, ve lo attesto!

Fece poi per ritirarsi, ma giunto alla porta volò indietro e riafferrò quella pendula mano, che stavolta la duchessa gli abbandonò.

. * * * * * * * * *

« Ecco — si diceva più tardi Ottavio — mi mancava l'amore ed anch'esso è venuto: che altro mi rimane da desiderare? È venuto: poiché era amore quello, checché ella ne dicesse in quel nostro guazzabuglio sentimentale (ma non dovrei forse dire in quel mio?), amore o alcunché di molto simile; o almeno almeno qualcosa che sta in me, se voglio e so dar tempo al tempo, mutare in furiosa passione. E voglio io? Certo che voglio. E io l'amo? Sì, sì. Dunque tutto va bene: ricchezza, amore, e

in queste condizioni la potenza e gli onori, chi li
persegua, vengono da sé.... Un momento: è poi
completo con ciò l'elenco dei beni più pregiati dagli
uomini? Guarda che neppure me li rammento tutti
in fila.... Già, proprio, che altro mi manca? Ah se
solo avessi tanto così di ambizione, o alle brutte di
vanità. Invero, che significa tutto quest'interrogarsi?
E insomma, son io felice come chicchessia al mio
posto sarebbe; ho quanto meno appagato i miei desi-
deri? Sì... sì ».

III

*

Ma i giorni passavano e null'altro si produceva: Ottavio a quella vita ci aveva quasi fatto l'abitudine, che com'è noto aduggia tutto. La duchessa, dopo aver due o tre volte respinto i suoi assalti, si mostrava poco e ad ogni modo appariva inaccostabile; gli altri personaggi un momento comparsi o affiorati, e da cui ci si sarebbe potuto aspettare qualcosa, un seguito se non una vera azione, non davano segno di vita; il Delfino d'altronde non era più al servizio di Ottavio, né lo si vedeva a giro. Per farla breve, in capo a una settimana il giovane era quasi giunto a credersi davvero nato duca e straricco; non solo, ma per naturale effetto (ogni condizione ha in verità la sua propria e speciale noia) già quasi apertamente si domandava, l'impenitente: « Ebbene, tutto qui? ». Alla sua prossima felicità colla duchessa non pensava poi tanto, ché egli era forse di coloro i quali, come oggi si dice, scontano in anticipo gli eventi e fino i sentimenti: a lui bastava che una cosa fosse possibile per intenderla già avvenuta e per giudicare in certo modo inutile che avvenisse. Figuriamoci per le cose ormai bene o male in atto; che, perduto il poetico alone del forse, ti aggrediscono e scuorano con tutta la brutalità e d'altra parte l'uggiosa inconsistenza del reale. «Quando una cosa è avvenuta — ruminava Ottavio — non può necessariamente più avvenire (le ripetizioni non contano) e, per dir così, non si aspetta più nulla: il guaio è appunto qui».

Il suo oro, per esempio. Egli si era dapprima applicato a escogitargli diversi impieghi, di cui nessuno appariva soddisfacente, quindi aveva pensato di almeno depositarlo in una banca; per lasciarlo da ultimo dov'era, cioè su quel gran tavolo addossato alla parete della sua stanza da letto. Esso col suo peso ne aveva avvallato il piano, e restava lì, inerte e sfolgorante, in enormi pile attentamente computate, sì che il servidorame non se ne appropriasse ormai alcuna parte. «La ricchezza — si diceva ancora il giovane — sta bene finché è presente ma insensibile; se invece deve dar pensiero.... Del resto è curioso come di tanto oro non si sappia che fare; eppure io lo ho così a lungo desiderato! O meglio, da farne ci sarebbe e molto, ma per avventura le son cose di cui non mi importa niente. C'è poi qualcosa che mi importa? Sì perbacco, mi piacerebbe, per dirne una, scrivere un poema ammodo: ed ecco, che c'entra l'oro con un poema o in che maniera può giovare allo scopo? Ah, con tutte le mie belle speranze io devo essere uno poco attaccato all'esistenza, intendo appunto male appic-

cato ». Eccetera. C'è anche da dire che da quando
era capitato lì il nostro Ottavio non aveva messo
il naso fuori di casa; e a star sempre dentro si diventa
grulli.

* *

Fu in queste pericolose disposizioni del giovane
che si apprestò a palazzo un'altra grande serata
di gioco. Egli tentennò e tentennò, fece ovvie considerazioni, si richiamò a saggi propositi, ma finì ugualmente coll'intervenirvi, armato di un rotolo d'oro
che, secondo la sua illusione, avrebbe dovuto bastar-
gli in caso di avversa sorte.

La duchessa era già alla punta, con viso pallido
ma radiosi occhi che lo guardarono lampeggiando
da fargli rimescolare il sangue: la maturazione dei
suoi sentimenti doveva procedere in modo soddisfacente. Ottavio stesso fu invitato a banco, di fronte
al Cugino che lo squadrava ghignando, e rapidamente perse il suo rotolo. Ne mandò subito a prendere un altro per un valletto; quindi, ceduto il
banco, si sedette accanto alla duchessa.

— Come vedete, o Signora, io attendo umile
e rassegnato.

— E che attendete?

— Il vostro piacere o la vostra pace. Signora!
Voi mi evitate, voi volete impedire che io mi getti
ai vostri piedi per ivi attendere....

— Daccapo attendere! Vorreste dunque passare
la vita in tale occupazione?

— Sì, se necessario!

Ma, come tutti sanno, donna e gioco si son
sempre fieramente azzuffati, e così la conversazione
non andò molto lontano.

Ci andarono invece le perdite di Ottavio; il quale,
non già confuso o smarrito o trascinato dalla passione, ma anzi quasi deliberato, vedeva con una
strana indifferenza scemare le ricchezze che pochi
giorni innanzi lo avevano inebriato. Se la prima volta
l'oro gli si precipitava incontro, questa, non che scor-
rere, gli schizzava via di davanti. Per non dilun-
garsi troppo, di rotolo in rotolo quelle ricchezze
si assottigliarono fino a solversi in fumo, o meglio
in monete sonanti entro altre tasche: le tasche, in
particolare, del gongolante Cugino. E qui la duchessa,
volgendosi d'un tratto, sussurrò al nostro eroe:

— Dopo il gioco sarò, se vi piace, in biblioteca.

Ottavio credette bene portarsi una mano al cuore
senza rispondere, e si ritirò. Non prima che il Cugino,
tagliandogli con un pretesto la strada, gli sussurrasse
a sua volta:

— Vostra Grazia ha stasera avuto quel che si
dice un rovescio di fortuna: ne imparerà a non gio-
care contro la mia mano. Ma pazienza, a tutto c'è
rimedio. Infine, amico, recatevi a mente le mie esor-
tazioni e sappiate che le mie oneste proposizioni son
tuttora in essere, che non rischierete nulla e via
dicendo.

— Miserabile!

Tuttavia il miserabile osò battergli un colpetto di protezione sulla spalla.

❉ ❉ ❉

« Bisognerà proprio che denunci il Cugino alla duchessa: — pensava Ottavio nelle sue stanze — lo farò questa notte medesima. E pel momento passiamo pure ad altro ordine di considerazioni. Dunque: dovevo perdere, in certo qual modo lo volevo, e ho perduto. Non vi ha qui, pertanto, nulla di eccezionale. Lo volevo! Forse che si può voler perdere, al gioco o a qualunque altra cosa? No, ma si può almeno non aver salda volontà di vincita o vittoria. E del resto perché no? Si può anche, sissignori, voler perdere, lo scopro ora; non per disperazione, per brutale desiderio del proprio male o di male, ma quasi quasi a ragion veduta. Poiché invero tra il tutto o perfino il qualcosa e il nulla è sempre meglio il nulla, così come, tra il fare e il non fare, questo la vince in opportunità. Il nulla non è soltanto meno impegnativo, esso è una condizione naturale, anzi la condizione naturale per eccellenza; la realtà certo non è fatta di tutto, se mai piuttosto di nulla, e se ne potrebbe giungere a dire che il nulla è lo stato naturale del tutto.... Ma guarda in che imbrogli mi caccio. Lasciamo stare. Il fatto sicuro è che la mia fortuna, dopo aver attinto il colmo, declina. Beh, anche qui....

Che cosa ho perso io? Quello che va e viene: ben altre e ben più stabili ricchezze mi appresta, se voglio, l'amore della duchessa, senza nessun bisogno di illeciti profitti. Al qual proposito si può rilevare di passata che la via dell'onestà ovvero, ehm, della relativa onestà è poi quella più spiccia e diciamo più astuta: così, la duchessa, che sembra saper tutto, saprà forse anche del rifiuto da me opposto ad alcune indegne proposizioni, eccetera.... Ma io do per acquistato codesto amore che in verità non è ancora nel sacco; né il convegno cui sto per recarmi mi ha l'aria d'essere un convegno amoroso. Tra mezz'ora si vedrà. E alla fin fine che importa, se io son cosiffatto da ritrarmi davanti alle cose a mano a mano che esse mi vengono incontro? Dunque, fosse pure un convegno amoroso... ».

* * * *

Il gioco era finito, i giocatori se n'erano andati, nel palazzo si era fatto il silenzio, e Ottavio si avviò con passo furtivo alla biblioteca. Ma avvicinandosi udì voci di dentro e vide che la porta era chiusa. Perplesso, non sapendo che pensare e se dovesse ugualmente mostrarsi, si disponeva a origliare, quando la duchessa in persona aprì la porta, lo scorse e lo invitò con un cenno ad entrare.

In piedi presso al caminetto, un poco pallido e arruffato come a innamorato deluso si conviene, e sempre in livrea, era Monsignore il Delfino di Francia; su un canapè sedevano invece, ma in punta in punta, il principe Ludovico Francesco e il Cugino. Tutti e tre avevano un'aria incerta e sospettosa, come anche loro ignoranti del preciso motivo per cui si trovavano lì; vedendo entrare Ottavio si guardarono interrogativamente. Insomma quest'ultimo si rese più o meno conto che la duchessa voleva farlo testimone di qualcosa o qualcosa indirettamente dichiarargli, secondo usano talvolta le donne. Pel momento ella taceva considerando ciascuno, e tutti lasciando nell'imbarazzo.

— Ah, — disse finalmente il Delfino a Ottavio — voi siete quel bravo giovane che mi ordinò di lucidargli gli scarpini. Che dico quel bravo giovane: voi siete a quanto pare il personaggio più importante di questa casa. Io non vi serbo peraltro alcun rancore, ho anzi promesso di ricordarmi un giorno di voi; ma ora...

— Eh sì Signore, ora... guà, voi non c'entrate per nulla — bofonchiò il principe.

— Vostra Grazia... — cominciava il Cugino.

— Bando alle finezze — interruppe la duchessa — e piuttosto, miei Signori, ascoltatemi. Io vi ho qui convocati per... in fede mia non so bene perché; ma qualche ragione ci deve pur essere e finirà col farsi luce. Cominciamo da voi, Monsignore, che tanto male sapeste infingervi. E cominciamo col dire, senza offesa, che io non vi amo né potrò mai amarvi.

— Ah Signora, non son parole le vostre, son colpi di stile!

— S'intende.... Ma pure in certa maniera vi credo.

— Alla buon'ora: è già qualcosa, è se non altro una speranza di pietà.

— Passiamo a voi, principe Ludovico Francesco: io non vi amo ed è ben certo che non potrò mai amarvi.

— Oh!... Ma almeno addolcite il vostro veleno, pietosamente nascondete il ferro che mi ferisce, sebbene impotente contro il mio amore e la mia speranza!

— Immagini appropriate; eppure in qualche modo anche a voi credo.

— È ancora grazia che io non abbia voi per rivale — disse il Delfino al principe.

— Vi prego, Monsignore — riprese la duchessa. — Quanto infine a voi, Cugino, non serve che io vi faccia la medesima dichiarazione, ché voi non aspiraste mai al mio amore; dicendolo meglio, non al mio amore aspiraste mai.

— Beh, non vi intendo bene; ma vi assicuro che avete torto a dubitare della mia devozione.

« A me — rilevò mentalmente Ottavio — non ha detto che non mi ama ».

— Ma tutto ciò, o Signori, non è quello che ora mi preme. Ricominciamo invece il giro: per qual motivo, Monsignore, mi assediate voi fino in mia casa e fino in vile travestimento?

— Oh domanda: perché vi amo.

— Codesto avete già detto numerose volte; ma perché o come mi amate?

— Vi fate torto, Signora: occorre forse palesare il perché e il come? Non ho mai veduto la più bella di voi.

— E ancora?

— Ancora? Eh, che dirvi: e non basta? Dirò dunque che come fornita d'ogni grazia è la vostra persona, così lo spirito vostro s'adorna di mille pregi e di mille allettamenti.

— Avete imparato bene la vostra lezione.

— La mia lezione, Signora?

— Sì. E poi?

— Vi è per ultimo quello che avrei dovuto rammentare per primo: il vostro cuore medesimo.

— Già, già, e così la revisione è compiuta. No, Monsignore, io stessa vi dirò di che piuttosto si tratti qui e cercherò di leggervi nell'animo; ma mi permetterete di essere sincera?

— Ve ne prego; ancorché lo sia già stato io.

— Monsignore! Le vostre conquiste di cuori femminili non si contano.

— Ehm, cosa dite!

— E vi si conoscono le più belle donne di Francia: quale invero di esse potrebbe resistere al Delfino, e ad un tal Delfino? Questo vostro campo di caccia è dunque in certo modo esaurito.

— Cessate, Signora: voi ben sapete che si può resistermi.

— Lo confesso; ma ciò dicendo voi avete toccato proprio il punto principale.

— E questo punto?

— Io, Monsignore, son bella o tale mi dicono; sono straniera; vi resisto. Ce n'è più di quanto occorra per porre a cimento ossia irritare la vostra curiosità, la vostra vanità e, scusatemi, la vostra licenza.

— Capisco il vostro pensiero, e non ne ho gran merito tanto chiaro lo esponete; ma non pensate che ciò possa dirsi di qualunque altro uomo amante? Non entra, intendo, in alcuna misura alcunché di simile nell'amore più sincero?

— Può darsi, o mio loico ed augusto libertino, ma vi entrerà più o meno e la differenza è tutta qui.

— Oh cielo, vi trovo anche accorta ragionatrice, e questo rinfocola i miei affetti; sebbene siano false le vostre proposizioni.

— Non nego che voi crediate di amarmi, ma altra cosa è l'amor vero e voi stesso lo ammetterete se vorrete consultarvi attentamente. Per questo non ho temuto di recarvi serio affronto o grave dolore quando or ora vi ho detto che non vi amavo e non vi amerò.

— Oh Dio, voi ripetete...

— Vi consolerete facilmente di questo... scacco.

— Ah no, Signora: mai. Io devo riaffermarvi....

— Scusate Monsignore, l'ora è tarda ed io voglio seguitare; degnatevi sedervi qui. E ora a noi, principe.

«Ah, — si diceva Ottavio, semplice ma interessato spettatore di quella scena — come tutto questo, non so bene perché, mi sembra assurdo o meglio ancora inconsistente! Nondimeno la povera donna sta cercando di liberarsi dai suoi importuni, certo per me. Ma in che ridicola situazione mi mette al tempo stesso! ».

— Dunque, principe, a voi far domande è superfluo: rispondereste punto per punto come ha risposto Monsignore il Delfino.

— Tante grazie pel concetto in che mi tenete.

— Ma no, Signore: se unico, come si dice, è il linguaggio dei sentimenti, quanto più monotono non dovrà riuscire quello dei falsi sentimenti?

— Falsi sentimenti!

— Eh sì. Ma se mi inganno e vi importa esternare i vostri, fate pure.

— Io, Signora... io vi trovo incantevole.

— Non devo dubitarne, considerato che ho per destino la generale ammirazione. Seguitate colla medesima eloquenza.

— Io... Non è già solo la vostra bella persona che invincibilmente mi adesca, comandando al mio cuore e forzando la mia devozione...

— Ma eziandio le rare doti dell'animo, d'accordo. Avanti.

— Accanto a voi, guà, da voi irradiato, il mio cuore gusta le gioie più profonde e dolcemente s'apre come... come... Ah smettete, Signora, questa crudele investigazione. Io v'amo: ecco tutto.

— Voi lo vedete bene, che era inutile ascol-

tarvi. Epperò tanto vale che senz'altro parli io per
voi, ovvero dica ciò che a voi non garberebbe dire.

— Signora, che altro rivolge la vostra fervida
fantasia? Cos'è che a me non garba dire?

« Eh no, vi è perfino del cattivo gusto qui: par
d'essere a teatro, e in quale teatro!... Ma le risibili
proclamazioni di codesti veri o falsi spasimanti, col
loro bizzarro linguaggio, troppo somigliano alle mie
di pochi giorni addietro. Io qui mi vedo quasi riflesso,
e non ne concepisco una grande idea di me medesimo ».

— Il vostro animo, Signore, è perlomeno diviso
tra due passioni.

— No, esso è diviso... cioè ingombrato da una
sola! Nessun'altra donna...

— Non donna. Le quali passioni potremmo
anche immaginare di ugual forza, benché sia chiaro
che l'una soverchia l'altra.

— E sarebbero, Signora?

— La prima, non dico la maggiore, sono io
stessa, o piuttosto la galanteria.

— Galanteria!

— La seconda è passione più o men nobile a
seconda dei casi, ma finalmente scusabile in quanto
all'uomo pressoché connaturale.

— Come è forbitamente e saputamente detto
ciò! — disse il Delfino.

— Salvo che si ignora di che Sua Grazia stia
parlando — ribatté il principe guardandolo in
cagnesco.

— Io, principe, — riprese la duchessa — non intendo pertanto giudicarvi, ma solo appena un poco scoprirvi.

— Non mi tenete in ansia.

— Orbene, è noto che generalmente parlando le passioni si escludono a vicenda: dove per contro sia dato conciliarle, è forse peccato profittare della loro simpatia? In particolare, avendo voi l'opportunità di mettere insieme le vostre due perché al postutto non avreste dovuto valervene?

— Ma voi, Signora, seguitate a parlare per enimmi.

— ...È quanto faceste o presumeste di fare.

— Vi assicuro che non vi intendo.

— In breve, posta come prima delle vostre passioni la galanteria, la seconda e più gagliarda è l'ambizione.

— Ah finalmente! Io sarei ambizioso: e di che?

— Non è poi un mistero ed è presto detto: di onori. E sul momento di certa altissima, nonché, come mai ciò guasterebbe? lucrosa dignità. Vi piace ch'io sia più precisa?

— Non ve ne date, guà, la pena. Ditemi solo per che verso entrereste voi in questa fantastica storia.

— Per dato e fatto di alcune relazioni che, a torto del resto, mi supponete e di un mio parentado fin troppo reale. E come è scritto che nel vostro paese si abbia a far carriera colle donne...

« Oh Dio, qui si casca addirittura nel tritello ».

— Guà guà, fate pur punto. Ah, vedo bene che dovrò lasciare per sempre questa casa in cui son tanto male e tanto iniquamente giudicato!

— Non sembra a Vostra Eccellenza che il tempo futuro sia, sebbene elegante, in verità di sua natura troppo incerto? Ma veniamo a voi, Cugino.

— Veniamoci, Signora.

— Voi, almeno, non dite di amarmi.

— Ma pure non l'ho mai negato apertamente.

— E invero non che amarmi mi aborrite.

— Oh oh, che mai andate immaginando, Signora!

— Se voi mi onorate di tratto in tratto di vostre lunghe visite, se, vicino o lontano, mostrate un inalterabile attaccamento alla mia persona, se infine non mi perdete d'occhio, è perché ve ne ripromettete qualche vantaggio.

— Udiamo quale.

— Credete possa trattenermi il timore di venir meno al rispetto che devo a me stessa? Vi sbagliate.

— Animo allora.

— Non io vi sto a cuore, Cugino, né come donna né come cugina.

— E invece chi o che?

— Le... le mie ricchezze; su cui avete qualche mira che forse credete giustificata da qualche circostanza. Ma il punto principale è che per alcune vostre progettate combinazioni non vi va punto a genio di aspettare il mio beneplacito.

— Siate, che diavolo, un po' meno brutale.

— Lo sono nell'interesse del vero.

— Sentite cugina, voi avete stanotte preteso instaurare il regno della sincerità, benché a spese altrui; ma vi rendete conto che è esso stesso minacciato da discordie e tumulti? senza neppur contare che non giova per nulla alla causa del vero, di cui vi professate zelante? O, per uscir subito di metafora, che la sincerità è cosa pericolosa? Io pure potrei dire alcunché.

— Che potreste dire?

— Voi mi sfidate a sincerità. Ebbene, cominciamo dal bel principio: io sì vi aborro. E non soltanto per la vostra ricchezza e ventura, per questa stessa conclamata sincerità, per la nobiltà di sentimenti che, deprimendo gli altrui, ostentate: ci ho anche altre buone e più positive ragioni.

« Sta a vedere che questo ribaldo è il meglio di tutti ».

— E queste?

— Il vostro defunto sposo, Signora, o suoi sostenitori seppero con male arti appropriarsi una parte delle sostanze che per diritto mi venivano. Voi non lo ignoraste, eppure alla sua morte...

— Non soltanto, Signore, lo ignorai ed ignoro, ma taccio di false le vostre affermazioni.

« Ed eccoci in piena baruffa familiare. Ma lei, lei stessa, come può arrivare a questo punto? ».

— È facile il farlo, ma....

— Signore, non devo ascoltarvi oltre, né mi vedrete tanto abbietta da giustificarmi davanti a voi. Tacete o ritiratevi.

— Eh, mia offesa regina, mi udrete ancora per un istante! Codesta vostra spocchiosa sincerità perché non cominciate coll'applicarla a voi stessa? Perché non ci esponete senza rigiri il vero motivo di questa convocazione e di tutta questa ridicola commedia? Perché dunque non ci raccontate bellamente che siete incapriccita di codesto giovane al quale andate lanciando dolci occhiate e che volete sacrificarci a lui? Che ogni altra cosa sacrifichereste, per meglio dire, alla vostra lussuria ovvero, non so e non monta, ai vostri sentimentali rovelli, alle vostre colpevoli insoddisfazioni, alla vorace aridità del vostro cuore? Che lui stesso sacrifichereste alle fantasie della vostra mente, alla cieca avidità di un intelletto sviato, alla inquietezza, alle oscure brame dell'animo vostro, frequentato da larve e da chimere? Perché....

— Sì, finché questo giovane sconosciuto resterà tra noi la nostra causa sarà dubbia e peggio: — saltò su inopinatamente il principe Ludovico Francesco — per prima cosa allontanarlo bisogna.

— Non datevi pena, me ne vado da me — fu, dopo breve pausa, la prima e ultima frase di Ottavio in quella conversazione.

Il Cugino, interrotto nel bel mezzo della sua tirata, si strinse nelle spalle e si avviò alla porta. La compagnia si sciolse. Anche Ottavio uscì, lasciando la duchessa appoggiata al camino col volto nascosto tra le mani.

* * * * *

« Brutta cosa — pensava Ottavio prima di addormentarsi — brutta e talvolta tremenda cosa ascoltare una conversazione senza prendervi alcuna parte. Quella poi di stanotte: quanto di equivoco, sordido perfino e corrotto non ne è venuto fuori! quanto di inutile e risibile, d'altronde! Le intenzioni della duchessa erano senza dubbio pure, e intanto guarda dove è andata a finire, e dove è finito tutto il resto. Sì, anche lei.... Ma, a ben pensarci, c'è di più: c'è che i personaggi di quella scena non erano... in che modo dirlo? veri. Non già nel senso che fosser mendaci o fallaci, che avessero, come si dice nei romanzi, l'eterna menzogna sulle labbra: no, erano proprio falsi e proprio loro. E neppur falsi, peggio.... Mi viene in mente quando dalla buia strada ci si fermi a guardare, dietro alle vetrate d'una di queste aristocratiche dimore, le coppie che danzano alla luce palpitante dei doppieri, gettando lunghe ombre sulle pareti e sul soffitto. La musica non si ode, e loro passano e ripassano, prese in un ritmo assurdo, ozioso, in una vana e incomprensibile agitazione, quasi ombre esse stesse, quasi fumo o sogno che un bizzarro capriccio abbia per un attimo addensato, che un vento errante, chissà donde venuto, agiti fuggevolmente.... E forse anch'io sarò così ».

IV

✳

Il giorno seguente, a uno di quei gran balli intravveduti dalla buia strada Ottavio si trovò in mezzo, ché si dava serata di gala a palazzo. V'era intervenuto il fior fiore della nobiltà francese e, con alcuni della sua corte, lo stesso Delfino, che aveva finalmente gettato alle ortiche i panni servili; c'era anche, malgrado le sue protestazioni di dignità offesa, il principe Ludovico Francesco; e naturalmente il Cugino; né mancavano, tra tutta quella gente dorata, lustra e splendente, le solite vecchie impresciuttite, che però non si tenevano dal danzare. Ottavio stava invece ritto da una parte, in luogo donde era agevole l'osservazione. Nella vasta sala brillava una luce viva e cruda, soverchiante, che stordiva un poco e mangiava i contorni degli oggetti ovvero li ispessiva inazzurrandoli; i cristalli dei lampadari abbagliavano.

Anche qui le coppie, ma qui sostenute dai concertini nelle logge, andavano e venivano, passavano e ripassavano fino a sfiorare Ottavio, descrivendo quasi orbite planetarie più o meno allungate;

di volta in volta egli vedeva giungere prillando, volteggiare un attimo e ridileguare in curva tra la folla dei danzatori, personaggi noti ed ignoti. Ed ecco ora per tal modo avanzare, con maestosa dama, il principe Ludovico Francesco.

— Principe, me ne vado — disse improvvisamente Ottavio a mezza voce, come parlando a se stesso.

L'altro lo guardò sbalordito, e il giovane restò ad osservarne curiosamente il dimenio mentre scompariva: si aspettava che il suo uomo lasciasse in tronco o quasi la dama per raggiungerlo. Il principe infatti, facendosi largo senza cerimonie tra i ballerini, sopravvenne affannato.

— Che cosa avete detto?

— Ho detto che me ne vado.

— Ah, oh!... E... dove?

— Codesto non vi importerà molto sapere.

— Infatti, guà. Ma ve ne andate davvero?

— Come è vero che voi siete voi, anzi un po' più veramente.

— Di qui, dico dal palazzo?

— E di dove?

— Senza lasciar traccia?

— Sarà così, immagino.

— Io dunque vi devo una ricompensa.

— Nessuna. Fors'anche toccherebbe a me ricompensare voi.

— Ma io promisi....

— E che m'importa delle vostre promesse? Non

io promisi di accettare o solo vi permisi di offrire; vi misi anzi con tutte le regole alla porta, ve ne rammentate? Ora possiamo riderne insieme.

— Sareste dunque tanto...?

— Non è proprio che sia tanto di codesto, è che son troppo poco del contrario.

— Non vi capisco; ad ogni modo vi ringrazio.

— E di che!

— Né voglio ritirarmi prima di avervi dichiarato che siete un nobile giovane, il quale... il quale...

— Concluderò io per voi il vostro discorsetto, e lo farò colle seguenti parole: Guà, guà.

Ottavio sghignazzò volgendosi altrove; il principe, stupito più che offeso per una tale mancanza di riguardo, si allontanò scotendo il capo ma palesemente raggiante.

Danzando giungeva il Delfino in persona.

— Monsignore, me ne vado.

Quello aguzzò gli occhi.

— Ah — disse poi come risovvenendosi di qualcosa. E bruscamente alla dama: — Scusatemi madama — (Colei, il più bel nome di Francia, si trasse da parte). E di nuovo ad Ottavio: — Dicevate?

— Che me ne vado.

— Ve ne andate, e con ciò?

— Non vedo infatti come ciò possa riguardare Vostra Altezza. Ma volevo, Monsignore, ringraziarvi della benevolenza che aveste a dimostrarmi.

— E che non disdico: vi occorre qualcosa?

— Nulla.

— Dunque addio, Signore.

— Addio Monsignore.

Ecco da ultimo il Cugino, con ghigno sdegnoso e aggrondata fronte, che svogliatamente e contro tempo si spingeva innanzi una matura, legnosa beltà.

— Me ne vado, Signore.

Il Cugino guardò un momento Ottavio di sulla spalla della dama.

— Sciocco! — disse soltanto senza fermarsi.

* *

La duchessa, leggermente imporporata ed ansante, venne vicino al giovane e lo guardò con occhi lustri, quasi supplichevoli.

— Me ne vado, Signora.

— Lo diceste già iersera — rispose tristemente.

— Intendo che me ne vado del tutto.

— Oh, vi avevo ben capito. Ma posso parlarvi, posso... spiegarvi?

— Spiegarmi: e che dovreste spiegarmi? Ho io diritto ad alcuna spiegazione? Non son io piuttosto che dovrei spiegarvi alcunché? Ma come fare! E in primo luogo devo ringraziarvi.

— Ah, smettete codesto tono crudele: io non merito che in parte il vostro rigore.

— Ma no, Signora, davvero che non vi comprendo. Voi forse immaginate che io possa essere disgustato di qualcosa, e avete torto. Nei libri fantastici si legge sovente di taluno che, balestrato dalla sorte in dorate sale e avendone da presso conosciuto gli abitatori col vero animo loro, volontariamente ritorni alla sua oscurità. Speciosa favoletta: no, questo vostro mondo non è diverso, non è migliore né peggiore dell'altro, del mio se volete. No, non è ciò.

— Pure, voi...

— Ah Signora, che cosa dirvi o come?... Ma guardate o Signora questa sala, queste persone, questi visi affocati, prestate orecchio a queste musiche che piovono vivaci o languide e quasi intormentite, volgetevi ancora una volta intorno per questa luce che il troppo vigore fa dubbiosa; e ditemi: vi sembra vero tutto ciò?

— Molte altre cose non sembrano vere.

— Non vi paiono, essi tutti, docili e luttuosi fantocci mescolati alla rinfusa in un gioco senza principio né fine, senza vinti né vincitori e addirittura senza regole? Fantocci o.... Non vi paiono contorcersi sull'orlo d'un abisso, averne anzi uno vaneggiante, infinito, sotto i piedi? Non vi pare scorgere in ogni cosa un incomprensibile segno di sospensione? Un occhio grave sotto un ciglio inarcato ci vigila, è vero, di lontano, ma impartecipe; che potrebbe esso comunicarci, di che ammonirci?... Oh, scusatemi, giudicherete che deliri.

— No, credo di intendervi: anch'io talvolta son giunta a dubitare di tutto e di me stessa, sebbene ora non dubiti più.

— Dite bene, dubitare di tutto, e potreste dir meglio.... Mi rammento da bimbo piccino, quando mio padre veniva a darmi la buona notte. Con uno sfrigolio o ronzio continuo la candela illuminava in pieno il suo viso ed esso solo; e dubbi atroci mi assalivano: era quell'uomo mio padre davvero o non forse un impostore che ne avesse usurpato il posto? era poi davvero un uomo? E così seguitando; sicché da ultimo ne venni a risalutarlo con una sorta di complicità, quasi intendessi che io potevo sì far le viste di nulla, senza però essere lo zimbello suo o di quell'inganno.... Ma cosa diavolo vi vado raccontando! Perfino ai ricordi d'infanzia son giunto.

— No, ve ne prego, seguitate.

— Eh, come volete che seguiti! Quei sentimenti di allora si può dire non mi abbiano mai abbandonato; e ora guardo queste cose e veramente non so, non oso convincermi che siano. No, veramente essi, e voi ed io medesimo se vi piace, noi tutti e tutto il resto non siamo: se una bizzarra illusione dei sensi ci fa credere....

— Ma io, Signore, vi amo.

— Oh voi lo dite, tu lo dici finalmente! Ed anch'io v'amo, Signora; ma....

— E non è, questa, cosa da salvare, o meglio che di per se stessa si salva tramezzo al generale naufragio?

— Ahimé Signora, no che non è.... Sì v'amo, e so quanto sia portentoso l'essere stati riuniti tanto di lontano, il sentire che qualcosa in noi ha la stessa voce, lo stesso palpito....

— Sì, sì, potremmo esser felici: lo diceste.

— Lo dissi?

— Voi non ignorate che il mio cuore è libero, che lo era cioè, e che libera è anche la mia persona; io dunque pensavo....

— Che pensavate, Signora? Tacete. Ah, che nobiltà è la vostra e che barbaro io sono a non accogliere con lacrime di riconoscenza l'inestimabile tesoro che mi offrite! Che gioia potreste voi darmi se....

— Se...?

— Ma, Signora, i fantasmi son soli, ossia ciascuno lo è; lo sono per definizione, direbbero i nostri barbassori della Sorbona. Avete mai udito di fantasmi che si uniscano in matrimonio, mettano sù casa ed abbiano figliuoli? Non si aggirano essi lugubri e solitari nei castelli in rovina — e notate che ognuno ha il suo rudere e come la sua giurisdizione, dalla quale rigetta gli intrusi? Si amano, i fantasmi?

— Voi scherzate atrocemente.

— Ma pure dico il vero. A che cosa potrebbe dar luogo la nostra unione, di che essere feconda?... Guardate: c'erano, per esempio, ci sono intorno a noi taluni, e siano il principe Ludovico Francesco, o il Cugino, o Monsignore il Delfino di Francia, che al mio arrivo hanno reagito (direbbero stavolta gli alchimisti) in un certo modo. Ciascuno aveva i suoi sentimenti, i suoi intendimenti, e infine recava in sé le premesse di un'azione, di un'attuazione, di una conclusione, di un adempimento, e aggiungetene a vostro piacere; le quali peraltro non si son prodotte o non hanno avuto luogo. Esse son rimaste nella sfera dei possibili, nel giro di quelle possibilità indefinite che sembrano essere l'unico retaggio degli uomini. E invero cosa può competere a un fantasma di più che una possibilità?

— Non intendo il paragone.

— Ma sì, immaginate forse che basti l'amore per vivere, dico per essere? L'amore è esso medesimo una premessa, che si tratta di mandare ad effetto. E come, Signora? Oh credetelo: il nostro tutto, è un mondo di possibilità inattuabili. E il guaio è che, inattuate, non divenute realtà e lungi da ciò, esse per così esprimersi avvizziscono, muffiscono e infine muoiono anche come tali, come possibilità cioè, non lasciando che il rimpianto; se pur lasciano qualcosa. E così, o Signora, tutto essendo vano e nulla essendo vero, io me ne vado.

— E perché, mio Dio? La vanità, o il senso di essa, genera l'indifferenza: non vi è dunque indifferente andare o restare?

— Ma no, Signora: qui si pretende vivere, perbacco, qui si ardisce talvolta credere alla propria esistenza; io stesso stavo per cascarci. Qui l'impotenza prende figura di conati vari, non già di beato abbandono; pertanto qui tutto è un po' più difficile, un po' più faticoso.

— Rimane che io v'amo.

— E, se poi alcunché debba o possa rimanere, che io v'amo. Addio.

— O voi, Signore...

— Addio, Signora. Ah, come non vedete che noi tutti veniamo dalla stessa noia e andiamo verso lo stesso nulla?

* * *

E con quest'ultima battuta il nostro eroe si avviò gravemente alla porta. Non era passata un'ora che, giusta la predizione del Cugino, procedeva filosofando lungo il rigagnolo della strada.

Frugandosi in tasca ci trovò quattro luigi sperduti, rimasti lì certo dalla sera della sua favolosa vincita. E subito si disse: «Stanotte ci sarà baldoria!». Ma quegli abiti ducali che lo imbarazzavano non poco? Ebbene, li avrebbe venduti all'oste e ci avrebbe fatto un doppio guadagno.